時代の反逆者たち

李琴峰
中島岳志
松尾貴史
国谷裕子
指宿昭一
奈倉有里
斎藤幸平
栗原俊雄
金英丸

×

青木理

河出書房新社

時代の反逆者たち　目次

時代の反逆者たち

はじめに

本書は、スタジオジブリの出版部が発行する月刊の小冊子『熱風』で現在も続けているインタビュー連載「日本人と戦後70年」から、最近の9編を選りすぐって編んだインタビュー集、あるいは対談集とでも呼ぶべき一冊である。

さらにつけくわえるなら、同じ連載からはこれまでにも『時代の抵抗者たち』（２０２０年）、『時代の異端者たち』（２０２１年、いずれも河出書房新社刊）と題する2冊を編み、上梓していて、本書はその3冊目という位置づけにもなる。

だからというわけではないのだが、編集過程の内情を少々明かせば、インタビューとか対談というのはなかなかに厄介な面もあって、いつ誰にどのようなことを聞くか、いつ誰にどのようなことを語ってもらうか、テーマとゲスト選びにはスタジオジブリ出版部の担当編集者と一緒に毎回相当に頭を悩ませる。原稿の構成と執筆はすべて私が責任を持って行っているのだが、時に長時間に及ぶ発言の数々をどうわかりやすく一編にまとめるか、こちらにも毎回相当に呻吟させられている。

ただ、こうやってまた一冊にまとめるにあたり、私自身もあらためて9編を読み返してみると、むしろインタビューや対談という形式ほど時代や社会状況を多様に照射し、的確に浮かびあがらせる手法はないかもしれないと再認識させられたりもする。

だってそうだろう。それぞれの分野に精通した、あるいはそれぞれの分野の最前線で事象を追いかけている、まさにその道の信頼できるプロフェッショナルに直接話を訊き、それぞれが蓄積してきた知に眼と耳をそばだてれば、当たり前のことではあるけれど、それぞれの分野の歴史や現状、そして問題点などを広く深く、同時に簡潔かつ端的に縦覧することができる。

その聞き役であり、取りまとめ役でもある私は、いわば最前列でその知を堪能する一個の観客に近いのかもしれない。実際のところ本書には、いまという時代を生きる私たちが眼と耳をそばだて、真摯に思索すべきテーマがいくつも散りばめられ、凝縮されてもいると、最前列の観客でもある私は自負している。たとえば——。

いままさに進行形のロシアによるウクライナ侵攻と、それに手を染めたロシアの政治や社会状況。盛んに「有事」が喧伝される台湾とその政治、社会、または文学などに関わる現状。歴史認識などをめぐって葛藤が続く日韓関係や安全保障問題について真に考えるべきことごと。

また、戦後70年どころか80年近くを経つつあるこの国の政治や、いまだ終わらない戦後補償問題に関する数々の歪み。さらには性的少数者や外国人労働者といったマイノリティーに恐ろしく冷淡で酷薄なこの国の光景。

そして巨大芸能事務所トップによる未曾有の性加害が社会問題化するなか、芸能とかエンターテインメントというものは本来どうあり、今後どうあるべきなのか。私にとっては足下の問題でもあるメディアやジャーナリズムをめぐる諸課題についても、もちろんあちこちに大切なファクトやメッセージが埋めこまれている。

いうまでもなく、それらを本書にもたらしてくれたのは、それぞれの分野で気を吐く9人のプロフェッショナルである。しかも体制や大勢には断じてまつろわない、矜持と覚悟に満ちた9人の稀少で貴重な発言の一つひとつである。

だから最前列で聞き役、取りまとめ役を務めた私としては、9つの章のどこからでもいい、興味を惹かれた一編からでも本書を読み、まつろわぬ者たちが発する言葉に眼と耳をそばだて、真摯な思索の材料にしてほしいと心から願う。ましてや年明け早々の能登半島を巨大地震が襲い、直後に羽田で凄惨な航空機事故が発生し、さらには与党の巨額裏金問題で政治の歪みが極に達したらしき混迷の時代だからなおのこと、と痛切に思う。

第1章 李琴峰×負の歴史を記録するということ

台湾からやってきた気鋭の作家である李琴峰さんとは、このインタビューで私は初めてお目にかかった。もちろん彼女の作品や発言には以前から注目していたし、だからじっくり話を訊きたいと思ったのだけれど、実際に彼女と直接会い、発せられる言葉に耳を傾け、その極めて真っ当な姿勢と真摯な思索のありように私も担当編集者もあらためて深い敬意の念を覚えた。

詳しくはインタビュー本編に譲るが、台湾に出自を持つ李琴峰さんは自身が性的マイノリティーであることも明らかにしていて、だから話題は文学から日台の文化比較、あるいは性的マイノリティーの人権をめぐる国際潮流やそれに恐ろしく遅れをとっているこの国の現状、さらには一部の為政者とメディアが盛んに〝有事〟を喧伝する中台、日台の関係、歴史認識をめぐる各国の態度等々に至るまで多岐に及んだ。

そこから浮かびあがってくるのは、ひどく近視眼的で偏頗な隘路にはまりこんでいるこの国の政治や為政者の現状であり、なぜこの国が長期の低迷や沈滞から抜け出せないのか、そうしたことごとの遠因に至るまでを異邦人の眼差しで私たちに気づかせてくれる。

いや、異邦人などと記すのは失礼であり、的外れですらあるだろう。むしろ彼女は国籍や性別などにとらわれないコスモポリタンとでも評すべき作家であり、その鮮烈な眼差しは、いまとこれからの私たちが必要とし、求められるだろう姿勢をたしかに提示してくれている。

このような作家が同時代に存在し、しかも日本語を操って作品を紡ぎ、皮相な攻撃などにもひるまず貴重な言葉を発してくれている僥倖を、私たちはしみじみと噛みしめるべきだと思う。

青木理（以下青木）　一昨年に『彼岸花が咲く島』（文藝春秋）で芥川賞を受賞した李琴峰《りことみ》さんは、あらためて紹介する必要もない気鋭の作家ですが、もともとは台湾のご出身ですよね。なのに日本語を縦横に駆使して小説を書き、芥川賞まで受賞したことに僕などは驚いてしまうのですが、最初に日本にいらっしゃったのはいつですか。

李琴峰（以下李）　観光を除けば、最初に来たのは２０１１年、東日本大震災の直後です。当時は交換留学で１年滞在し、その後は台湾に戻って大学を卒業して、今度は２０１３年に大学院への留学生としてやって来ました。

青木　そのまま日本に暮らし、現在は永住権も取得されているわけですが、台湾にいらした当時から日本語は勉強されていたんですね。

李　14、5歳から勉強をはじめました。

青木　とはいえ、最初の来日から10年も経っていない。にもかかわらず日本語という外国語で小説を書くというのはハードルが相当高いと思うのですが、よく書けましたね。

李　自分でもそう思います（笑）。

青木　ご自身でもそう思われてるんだ（笑）。

李　ええ、それが偽らざる自己評価で（笑）。もともと日本語の勉強をしていたとはいっても、親戚にも周囲にも日本語話者がいる環境ではありませんでしたし、本格的な勉強は大人になってですから、実際に書きはじめるまでは自分でも書けると思っていませんでした。

中国語を母語とする立場から見ると、日本語は面白い

李　それでも2016年に書きはじめて、初めての小説をなんとか書きあげて、応募したら賞までいただいてしまって。

青木　2017年に群像新人文学賞の優秀作となった『独り舞』（光文社）ですね。その時点で初来日からわずか5年、それで賞まで獲ってしまうのだからやっぱりすごい。そもそも日本語を学ぼうと思ったのはなぜだったんですか。

李　これといったきっかけがあったわけではないのですが、学校生活がつまらなくて退屈だったこともあって、何か違うことをやりたい、新しい言葉を学びたいと思ったんです。

その際、一番身近な外国語が何かといえば、英語は学校の授業でやっているので、それ以外の言語だと日本語がやはり一番身近で。幼いころから漫画やアニメ、スタジオジブリの作品などもそのひとつですが、そうした日本文化に触れていましたし、勉強してみたらとても面白い言語だと思って。

青木　日本語の面白さというと？

李　中国語を母語とする立場から見ると、まずは漢字を使うところに親近感を覚えますよね。現在でも漢字を使っている言語は中国語と日本語しかありませんから。

青木　かつては韓国語や朝鮮語も漢字を使っていましたし、漢字由来の言葉はいまもたくさんありますが、漢字そのものはほとんど使わなくなってしまいましたからね。

李　ええ。そのうえ日本語には、ひらがなとカタカナもあって、3種類もの文字を使っている言語はとても珍しい。その漢字にしたって、中国語の発音に似ているものもあるし、まったく違う読み方をしたりもする。そのあたりがすごく面白いんです。

　書かれた文章を見ても、漢字とひらがなとカタカナが交じりあっていて、それぞれ情報の密度が違う。漢字で書かれた部分はなんだか黒々としていて、情報が集約されている。ひらがなで書かれた部分はまるで流れるような感じで、とても美しい。

青木　とはいえ、漢字の読み方が複数あったり、漢字とひらがなとカタカナが混在しているのは、日本語という言語を外国の人が学ぶ際の難しさでもありますよね。

　一方、これは台湾に限った話ではありませんが、中国にせよ朝鮮半島にせよ、周辺国の人びとは歴史的な問題もあって日本を見る目には複雑な部分もあるでしょう。一般に台湾は「親日」的と言われてはいますが、日本語を学ぼうと考えた際、そうした面での葛藤や想いはなかったんですか。

李　私はあまり意識しませんでした。もちろん、かつて台湾が日本に統治されたのは歴史的事実ですし、その統治下で日本語を押しつけられたといった数々の負の側面も十分に知ってはいますが、私が日本語の勉強をはじめたのは２００３、４年ごろ。いわゆる戦後という括りでは60年も経っていましたし、しかも当時の私は中学生ですから、そうしたことはあまり意識しませんでした。

青木　むしろジブリのアニメなどで日本文化に親しんでいたと。

李　どちらかというと親しみを抱いてました。主に文化面によるものですが、一方で歴史は歴史として知っていました。

青木　で、実際に日本にやってきてみてどうでしたか。最初は２０１１年から1年間、留学生として来られたんですよね。

留学1年目に「ここで暮らしたい」と思った

李　最初の1年間は、ある意味で留学生活をエンジョイした感じでした。ただ、東日本大震災の直後だったので、いろいろなこともありました。福島第一原発の事故も起きて、私の周囲でも日本留学を予定していた人がキャンセルしたり、あるいは延期したり……。

でも私は「いや、行きます！」と宣言してきたんです。

青木　それはいったいなぜ？

李　いまでもよく覚えているんですが、もともとは3月21日に渡航予定だったんです。

ところが3月11日に大震災が起きて、原発事故もあって、これは少し様子を見た方がいいなと思って航空便の予約を延ばしたんですが、航空会社から「3月31日までしか延ばせません」といわれて、「じゃあ3月31日に行きます」って（笑）。
実際に来てみたら、あの年は入学式もなくて、ようやく入学できたのは5月。そういう特別な年でしたが、あの1年は本当に楽しかった。台湾では経験できないことをいろいろ経験して、日本に住みたいと決心したのはそのときでした。

青木　1年の留学で日本が好きになったと。

李　もともと好きでしたが、1年暮らしてみて、やっぱりここに住みたいと。

青木　何がそれほど心を動かしたんですか。

李　たくさんありましたけれど……。たとえば、競技かるた（笑）。

青木　競技かるたって、百人一首のかるたを早どりする、あのかるた？

李　そう。競技かるたのサークルにも入っていました。

青木　サークルって？

李　留学していた早稲田大学のサークルに。

青木　それが面白かったと。

李　はい、面白かったです。台湾には似た競技もないので、そういう意味でかなり貴重な体験でした。競技かるた、面白いと思いません？

青木　うーん、僕はあまり興味ないかな（笑）。

李　でも、有名な人気漫画もあったじゃないですか。

編集部　『ちはやふる』（講談社）ですね。かなり人気を集めて、漫画を原作にアニメや実写映画も作られました。

李　そうそう。

青木　なるほど（笑）。そうした経験も経て日本に暮らしたいと心に決めたわけですか。そして台湾で台湾大学を卒業し、２０１３年に大学院への留学で再び日本にやってきた。その際の留学先は？

かつてマイノリティ事情で先進的だった日本

李　早稲田大学の大学院。私、早稲田一途なんです（笑）。

青木　（笑）。でも、どうなんですか。台湾と日本、どちらがいいなんてことはもちろんないにせよ、台湾を離れて日本に暮らすという決断には、それぞれの地へのさまざまな想いはあったんですか。

李　ええ。当然ながら私は、台湾に対しても日本に対しても、それぞれにいろいろな想いを抱いてはいました。

まず台湾についていえば、本格的に私が日本に来る前の時期は国民党の馬英九政権でした

（馬英九総統の在任期間は2008年5月〜2016年5月）。そしてその政権下、私はセクシャル・マイノリティとしてのアイデンティティが強くありましたから、LGBTQ+に対する差別に嫌気が差していました。

青木　李さんは昨年刊行されたエッセイ集『透明な膜を隔てながら』（早川書房）のなかでも、ご自身がレズビアンであることを公表していらっしゃいますね。現在は民進党の蔡英文政権下で同性婚も法的に認められた台湾ですが、国民党政権はそうした面での価値観が非常に保守的だった。

李　ですから台湾の政治や社会とか、あるいはもっと身近な自分の周囲でもいろいろ嫌な思いをして、少し違う環境に身を置きたいと思うようになっていました。

一方の日本ですが、たとえば1990年代などは、そうした面で日本の方がずっと先進的でした。これは後になって知ったことも多かったのですが、東京都の宿泊施設が同性愛者の利用を拒否した問題をめぐる「府中青年の家」裁判が起こされたのは1991年。そして1994年には初のプライドパレードも日本では開かれています。

青木　「府中青年の家」裁判は、施設の利用を拒まれた同性愛者の団体が損害賠償を求めて訴訟を起こし、1994年に東京地裁が都に賠償を命じてその判決が最終的に確定しています。また、日本では初となるプライドパレード「第1回レズビアン&ゲイパレード」が都内で開かれたのは同じ1994年の8月28日。当時の新聞報道を調べてみると、当初は数十人程度と思われていた参加者が主催者発表で1000人以上に上ったと報じられています。

李　台湾でプライドパレードが初めて行われたのは２００３年ですから、日本に比べて10年は遅れていたんです。ですから私が台湾で暮らしていた当時はまだまだ保守的な雰囲気が強く、生きやすいかというとぜんぜんそうではない。だから嫌だったというか、新しい場所に身を置きたいという思いがありました。

ただ、台北と東京の実態を比べれば、正直なところ東京の雰囲気も体感的にはさほど変わりませんでした。しかもその後は日本の政治がどんどんと保守化し、２０００年代にはジェンダー・バックラッシュも起きましたから。

一方の台湾では政治的にもいろいろな変化があり、２０１０年代に入ると同性婚が大きな社会的テーマになって、そして現在の状況に至っているわけです。

青木　そのあたりを今日はじっくりとうかがいたいんです。90年代は比較的進歩的だった日本が保守化し、一方で台湾がアジアで初めて同性婚を法的に認める決断に踏み切れたのはなぜか。

まず、これはやや踏みこんだ質問になってしまいますが、李琴峰さんがご自身の性的指向を自覚的に認識されたのはいつごろだったんですか。

政権交代が変革に繋がった台湾

李　感情や情動としてはかなり早くからありましたが、ＬＧＢＴＱ＋という言葉を知ったのは大学生時代ですから、そういうアイデンティティが私のなかにはっきりと芽生え、確立したのは大学生以降のことだと思います。

青木　そのアイデンティティは、日本に留学しようとか永住しようとか、そうした行動にも大きな影響を与えてきたと。

李　そうですね。コアな部分のひとつにはなっていると思います。いまから考えれば錯覚だったのかもしれませんが、台湾に暮らしていた当時、日本のアニメやドラマに親しんでいて、そこには性的少数者の問題を取りあげた作品もそれなりにあって、日本は進んでいるとは感じていましたから。

青木　だとすれば、ジェンダー格差の解消にせよ、性的少数者の権利保護にせよ、保守化した日本が遅々として前進しない一方、台湾が同性婚まで認めるに至ったのを、日本に暮らしながらどうご覧になっていたんですか。

李　複雑といえば複雑な気持ちにはなりましたよね。とはいえ、台湾でもそこに至るまでさまざまな動きがあったんです。同性婚の実現ばかりではなく、ジェンダー平等に向けた運動や動きもあった。

青木　そうした市民的な運動が土台となり、2016年に国民党から民進党に政権交代したのは大きかったでしょう。

李　ええ。2000年以前の台湾は国民党による事実上の一党独裁状態でしたが、最近は8年ごとに政権が交代しています。最初は2000年に民進党政権が誕生し、2008年に再び国民党が政権に就き、２０１６年にまた民進党が政権を握った。

同性婚の実現に関していえば、おっしゃるように民進党政権になったのが間違いなく大きかった。それは民進党というより、蔡英文総統の存在と政策でした。

青木　台湾大学を卒業後、アメリカやイギリスで法律を学び、法学者から政治家に転身した、台湾史上初めての女性総統ですね。

李　はい。自身が女性でもある蔡英文総統が「私は婚姻の平等に賛成している」とはっきり表明したのは非常に大きかった。

青木　また、これは韓国も同様ですが、自力で民主主義を勝ち取ったという成功体験がある台湾の人びとは、デモや政治集会できちんと意思表示する。

李　おっしゃるとおり、独裁政権だった時代からデモや社会運動を重ねて民主化を勝ち取った歴史が厳然とあって、それが一種の成功体験にもなり、だから何かを変えるためには行動しなければならないというカルチャーはかなり広く共有されています。

もちろん、デモをしたからといってすぐに何かが変わるわけではありませんが、何もやらなければ何も変わらない。そんな認識は多くの人びとが持っていると思います。

同性婚の実現に向けた動きの際もそうでした。また、原発をめぐるデモや集会なども頻繁にありますし、実は台湾には徴兵制があるのですが、軍の内部でいじめ問題が発覚したりすると、そうした問題に対する抗議デモが起きたりして。

青木　そうした民衆の意思表示があり、政権交代も繰り返し起きて政治も社会も前へと進んでいく。僕は台湾事情やその政治を詳しく取材したことがないのですが、たとえば蔡英文政権のデジタル担当相に起用されたオードリー・タン（唐鳳）氏の姿勢や言説には目を惹かれます。

同性婚が実現した経緯

青木　オードリー・タン氏は、自らが担当する行政のデジタル化に向け、政府が市民の信頼を得るために最も肝要なこととして概略こんなことを言っているんですね。国家が市民を見通せるだけのデジタル化では単なる監視国家になってしまうと。そうではなく、国家から市民のすべては見通せないけれど、市民から国家がきちんと見通せる、それが行政のデジタル化実現に向けて政府が市民の信頼を得るために最も重要なことだと。

まったくそのとおりだと僕も思いますし、どこぞの国のデジタル担当相との見識の違いにため息が出てしまいます（笑）。

李　（笑）。

青木　そうした見識と能力を持つ人物がデジタル担当相に抜擢され、少し前だと新型コロナウイルス対策でもその辣腕《らつわん》を存分に発揮した。しかもオードリー・タン氏は性的少数者で、それを自ら公表もしていますね。

李　オードリー・タンさんのような、性的少数者で、学校生活に馴染めず、学歴も小学校を卒業したただけで、しかしコンピューターやデジタル、ITに関する能力は天才的なものを持っている。そうした人物をいきなり政府の要職に登用する風土は、日本だとなかなか考えづらいものがあります。

青木　それも台湾の新たな政治風土なのか、それともやはり民進党政権だったからか。

李　民進党だからでしょう。かつての国民党政権では、やはり考えにくい。もちろん、民進党政権の何もかもが素晴らしいわけではありませんが、2016年に蔡英文政権が誕生したのはさまざまな意味で分岐点でした。

青木　だからオードリー・タン氏のような人物が抜擢され、同性婚法制化も実現したと。

とはいえ、台湾も中国や韓国、あるいは日本などと同様、儒教的な文化が根強く残っていますから、いわゆる伝統的家族や家父長制的な価値観に基づく同性婚への反発は強かったのではないですか。

李　そのあたり、台湾で同性婚が法的に認められるに至った経緯をもう少し詳しく説明しましょう。

台湾でも2010年代に入ると性的少数者の人権や同性婚の是非が社会的に注目され、さまざまなメディアでも議論の応酬がはじまりました。そうしたなか、2014年にいわゆる「ひまわり学生運動」が起こります。

青木　親中派の馬英九・国民党政権が中台間の経済関係を強める「サービス貿易協定」締結を強行しようとしたのに対し、「民主主義を守れ」と訴える学生たちが数十万人単位の大規模デモで抵抗し、日本の国会にあたる立法院を占拠した運動ですね。これもまた台湾の若者や市民の積極的な政治的意思の表明であり、香港で起きた「雨傘運動」などにも波及しました。

強まるリベラルな価値観に対する反発

李 この運動がさまざまな意味で大きな転換点になりました。つまり、台湾の人びとが社会運動という形で国民党政権の路線にはっきりとノーを突きつけた。

それはまず国民党の親中的な路線です。中国とどう向き合うかは台湾政治において最も重要なポイントではありますが、国民党の路線に人びとがノーの民意を示した。と同時に、国民党政権に象徴される価値観、たとえば伝統的な家族観だとか、そうした保守的な価値観にもノーを突きつけたんです。

そうして2016年の政権交代以後、リベラルな価値観と勢力が強まっているのが台湾社会の現状です。民進党の蔡英文政権は、憲法裁判所にあたる司法院や最高裁の裁判官なども多くを入れ替え、リベラル派の裁判官が一挙に増えました。その結果、憲法解釈を担う司法院大法官会議が2017年5月17日、同性婚を認めないのは法の下の平等に反し、憲法違反だという画期的な判断を下します。

これは憲法裁判所の判断ですから、決定事項として立法府などは従うしかありません。ですが、当時は同性婚に反対する世論も強く、反対派からはバックラッシュ的な動きも起きました。実際、2018年に統一地方選が行われた際、民法で同性婚を認めるべきか否かの国民投票も実施されたのですが、民法上の婚姻は男女に限るべきだと反対派が盛んに訴え、結果的に反対派が勝利することになってしまいました。

青木　この統一地方選では蔡英文総統の民進党が大敗を喫し、脱原発を目指す政権の方針も国民投票で否定されてしまいましたね。リベラル色の強い蔡英文政権への反発が噴き出た形だと日本メディアでも報じられました。

李　しかも同性婚をめぐる国民投票は、ダブルスコアの大差で反対派が勝利しました。

ただ、司法院大法官会議が下した憲法判断は司法の決定事項ですから、それでは具体的にどうしたらいいかという問題になる。結果、2019年5月に立法院で可決された同性婚法案は、民法の改正ではなく、民法とは別立ての特別法という形になりました。

青木　そう考えると、台湾がアジアで初めて同性婚を法的に認めたのは画期的といっても、そこに至る過程では相当な政治的葛藤があったんですね。

李　ええ。同性婚の導入を支持する人たちは、素直に民法を改正すればいいじゃないか、それこそが真の平等じゃないかと訴えた。でも反対派は、民法上の婚姻は男女に限るべきだと主張し、特別法という形でようやく成立したということです。

青木　お話をうかがっていると、台湾もやはり伝統的家族や家父長制的な価値観が人びとに根強く、それを政治主導でなんとか乗り越えてきたということですね。

李　そうですね。血のつながりであるとか、子を産み育てることを重視する、そういう保守的で伝統的な価値観も根強くあります。また、韓国ほどではありませんが、台湾にもキリスト教保守勢力がいて、それらが一緒になって同性婚に否定的な世論が形成されていました。

青木　一方で近年の日本は、政治や社会の風景がずいぶん違いますね。選択的夫婦別姓制度の導入であるとか、同性婚の法制化もそうですが、少し前までは世論調査でも賛否が拮抗したり、反対派が上回ったりしていましたが、最近の世論調査ではいずれも賛成派が上回るようになっています。

「日本が情けない」という気持ち

青木　たとえば2023年2月の朝日新聞の世論調査によると、同性婚を法律で認めるべきかを問う質問に7割以上の人が「認めるべき」と答えています。同時期に産経新聞などが実施した調査では、自民党支持層でも同性婚を認めるべきだとする回答が6割に達している。

つまり現在の日本は、大多数の人が同性婚を法制化すべきだと考えるに至っている。なのに政治がそれにまったく応えていない。もっと正確にいえば、主に与党内にいる一部の頑強な保守派……というより、家父長制的な伝統的家族などという、もはや幻想に近い価値観に拘泥《こうでい》する右派に阻まれて一向に前に進まない。

その背後を突き詰めれば天皇制の問題などにも行き着くのでしょうが、政権交代後の政治主導によって同性婚の法制化に舵を切った台湾とはまったく対照的です。そのあたりをどんなふうにご覧になっていますか。

李　正直言って、日本が情けないという気持ちはあります。私自身、日本が本当に好きだからもっとよくなってほしいんです。いまの私は日本で生活者として暮らし、普段接している友人や仕事関係の知人もほとんどが日本の方々で、どちらかといえば日本に対するアイデンティティの方が強い。自分が表現をする言語として日本語の方が自然なくらいですから、とにかく日本にがんばってほしいなと、いまはそんな思いですよね。

青木　それでも先の国会では、いわゆる「ＬＧＢＴ理解増進法」が成立しました。その国会審議のさなか、朝日新聞に李琴峰さんの長文寄稿が掲載されました。確固たる「理」と「知」に基づく「歴史への敬意」が根づいたオーストラリアのＬＧＢＴＱコミュニティを紹介しつつ、性的少数者への偏見や差別を排して誰もが笑顔で暮らせる社会の実現を訴えた原稿に、僕も深い感銘を覚えました（朝日新聞２０２３年5月12日付朝刊掲載）。

しかし、現実の「理解増進法」の審議過程では、「差別は許されない」という文言が「不当な差別はあってはならない」と書き換えられ、まるで「正当な差別」があるかのような条文になってしまいました。また、特にトランスジェンダーへの偏見や差別が煽られ、条文には「全ての国民が安心して生活することとなるよう留意する」との一文も加えられた。まるでトランスジェンダーが人びとに不安を与える存在かのような条文です。

これでは当事者たちが「理解増進法ではなく差別増進法だ」、あるいは「理解阻害法だ」と反発するのも当然でしょう。そもそも、少数者の人権が多数者の「安心」を前提にされるなど、およそあってはならないことだと思うのですが、これも情けないことに堂々と国会で成立してしまいました。

李　これも情けないとしかいいようがありません。私もいろいろ言いたいことはありますし、言わねばならないこともあります。

まず、なぜこういう状況になったかといえば、最も大きかったのは〝外圧〟でしょう。日本はかりそめにも先進国で、他の先進諸国はすでにほとんどの国が同性婚を法的に認めています。先日は広島でG7サミットが開かれましたが、G7の国で同性婚や、婚姻と同等の権利を保証するパートナーシップ制度を認めていないのは日本だけ。とても印象的だったのですが、各国の駐日大使が動画を撮ったりしてSNSなどにアップロードしましたよね。

青木　駐日アメリカ大使をはじめとする計15の駐日大使や公使がビデオメッセージを公開し、性的少数者への差別反対と権利擁護を日本政府に求めたのは今年5月12日のことでした。

大使らは日本メディアの取材でも同じように訴え、自民党内には「内政干渉だ」といった反発が出る一方、広島でG7サミットが開催される直前でしたから、「理解増進法すら通せなければ、サミット議長国としてのメンツが丸潰れだ」という声も自民党内に強かったと各メディアが伝えています。

李　「内政干渉だ」という言い分は、中国の独裁政治や人権弾圧が国際社会に非難された時に中国政府がよく使う常套句でもありますよね。日本の保守右派は中国嫌いな人が多いのに、やっていることは中国政府とたいして違わないのですよ。

ともかく、そうした〝外圧〟がかけられ、2月には首相秘書官の問題発言もありましたね。

LGBとは違う、Tを攻撃の的にする

青木　性的少数者について「隣に住んでいたら嫌だ」「見るのも嫌だ」と。オフレコを前提とした発言でしたが、メディアもさすがにこれはひどいと一斉に報じ、秘書官は更迭に追い込まれました。

李　これも着火点となり、いわゆる理解増進法が動きはじめた。つまり、大きな流れとしては同性婚やLGBTQ＋の人権擁護に向けた世界の趨勢《すうせい》、世界の圧倒的な潮流があって、首相や自民党としても何かをやらなければいけないと考えたのでしょう。

とはいえ、いきなり同性婚や差別禁止法は難しい。だから理解増進法を作ることにしたけれど、頑強な右派は日本の政界で強い力を持っていますから、その抵抗を受けて結局はあの体たらく。しかもその審議過程では、青木さんも指摘されたように、トランスジェンダーへのひどい差別や偏見が煽られました。

ただ、こうした風潮は日本に限った話ではないともいえます。LGBTQ＋に反感を抱いた

り、偏見を抱いたりしている人たちが反トランスの言説を唱えるのは、いわばアメリカやイギリスなどから輸入されたムーブメントにすぎません。いや、ムーブメントと評すること自体に私は嫌悪を覚えますが、そうした流れがあるのは間違いありませんから。

青木　どういうことですか。

李　たとえばアメリカ全土で同性婚が法制化されたのは2015年、連邦最高裁が「同性間の婚姻を認めないのは、法の下の平等に反する」という判断を下したことによるものでした。

これも司法が下した決定ですから、LGBTQ+や同性婚に反感を抱いている保守派や一部キリスト教の宗教右派なども、さすがにどうしようもないわけです。だからトランスジェンダーを、つまりLGBTのうちLGBはどうしようもないから、Tを攻撃の的にする。このあたりについては朝日新聞への寄稿でも書きました。

青木　李琴峰さんは朝日新聞への寄稿でそれをLGBT攻撃の際の「てこの支点」として使われている、と指摘していました。当該部分を引用しておきましょう。

〈アメリカ全土で同性婚が認められた15年以降、反LGBT運動の標的は同性愛者からトランスに移った。17年、ワシントンDCで開かれた保守・宗教右派の集会で、ある活動家はこう語った。／「LGBTの連帯は実際はもろい」「トランスと性自認（ジェンダー・アイデンティティ）は世間に受け入れられにくいから、分断し制圧するためには、性自認に焦点を絞ろう」「Tを切り離せば、私たちはもっと成功するはずだ」／この計略は成功した。10年代後半から、「性自認」の概念を疑問視し、トランスを攻撃する言説は世界的に広がった。攻撃者は「LGBと

Ｔは違う」「Ｔは女性の安全を害する」「性犯罪を助長する」と主張する。トランスはいわばこの支点となり、攻撃者はトランスをやり玉にあげ、ＬＧＢＴ全体の権利を否定しようとしている〉

まさにおっしゃるとおりのことが、日本でもＬＧＢＴ理解増進法案を国会で審議する過程で起きたと。

李　ええ。トランス女性を自称する男が女性用のトイレや風呂に入ってくるとか、トランスは女性と子どもの安全を脅かすだとか、そんなことを言い出して差別や偏見を盛んに煽動した。これは連帯して戦ってきたＬＧＢＴの分断も狙ったものです。

〝輸入もの〟のトランスジェンダー攻撃

李　振り返ってみれば、１９７０年代のアメリカでは、反同性愛の活動家が「子どもを救おう」というスローガンを掲げて同性愛者の教職追放を訴えました。日本でも２０００年代に入って「男女共同参画イコール男女の風呂共用だ」などと煽動し、ジェンダー平等に異を唱えるバックラッシュが起きています。

こうした過去の煽動の二番煎じがいまＬＧＢＴに、とりわけＴに向けられている。Ｔへの攻撃を支点にしつつ、すべてを攻撃して分断を狙うという、古くからの煽動が実行され、それがある程度成功してしまっているのが現在の状況でしょう。

青木　おっしゃるように、ジェンダー格差の解消や性的少数者の人権保護に関しては、各国ともにさまざまな形でバックラッシュが繰り返されてきました。とりわけ最近はトランスジェンダー攻撃という形が激しい。

ただ、それでも各国はジェンダー格差の是正や性的少数者の人権保護を懸命に前進させ、多くの国々で同性婚の法制化が続々と実現し、そのうえでバックラッシュも起きているわけです。ところが日本では、ジェンダー格差の解消も同性婚も、ほとんど何の前進もないまま停滞しているのに、バックラッシュだけは各国と同じように起きているのだから絶望的です。

しかも女性の地位向上を阻んできた保守派や右派が「女性や子どもを守れ」といった言説を堂々と振りかざし、李琴峰さんの指摘を踏まえれば〝輸入もの〟のトランスジェンダー攻撃を盛んに加え、一部のフェミニストまでが同調してしまっている。そんなフェミニストは本当にごく一部だと思いますが。

李　だいぶ絶望的ですよね。私もそこが情けないし、もどかしいと思っています。

繰り返しますが、アメリカは同性婚が法制化されたからバックラッシュが起きた。ヨーロッパの各国もそうですし、台湾もそう。台湾で2019年に同性婚が法的に認められ、2021年には性別変更の際に手術を強要するのは憲法に反するという判断を司法が示しました。トランスジェンダーへの攻撃は、その判断に対するバックラッシュの形で起きています。

しかし、日本では同性婚がいまだに認められないし、認められる見込みもありません。性別変更の際の厳しい要件も残っており、それが改善される見込みもありません。ジェンダー格差だっていつまでも先進国最下位で、こちらも改善の見込みがありません。なのにバックラッシュだけが起きています。

青木　ただ、先ほどもお話ししたように、日本でも世論の受け止め方は間違いなく進化してきています。また、それを受けて司法の判断も最近はだいぶ変わってきていますね。

これについては李琴峰さんが長野県の信濃毎日新聞で連載しているコラムなどで詳しく触れていらっしゃいますが、同性婚を認めないのは憲法違反だと訴えて性的少数者の人びとが全国で起こした訴訟では、これまで全国5地裁で判決が出揃いました。

このうち札幌地裁（判決言い渡しは2021年3月）と名古屋地裁（同2023年5月）は、同性婚を認めないのは法の下の平等に反するなどとして違憲判決を出しています。また、東京地裁（同2022年11月）と福岡地裁（同2023年6月）は「違憲状態」とする判断を下し、合憲としたのは大阪地裁（同2022年6月）のみ。その大阪地裁判決も「将来的に違憲となる可能性がある」と立法府などに警告を発しています。

こうした判決の不十分さに李琴峰さんは信毎のコラムで批判を加えておられます。たしかに判決には問題点も数多くありますが、とはいえ日本だって世論や司法判断という面では世界の潮流からまったく立ち遅れているというわけでもない。

李　そう、別に日本の国民が同性婚を否定しているわけではない。ですから、本当に激しい議論があった台湾と比べても、日本はむしろ同性婚を容認する社会的雰囲気、社会的な条件は整っている。

政権交代が起きないのは民主主義国家としてどうなの？

青木　そう考えると、いま日本で最も必要なのはやはり政権交代でしょう。現実にはそうした兆候がほとんどないのが残念ですし、それが日本の停滞や沈滞を招く最大の要因になっているのかもしれません。

李　同感です。日本でも政権交代が起きれば、同性婚などは法制化されるでしょう。そもそも、これほど政権交代が起きないのは民主主義国家としてどうなの？　って、正直言って私などは思ってしまいます。

青木　そういえば、李琴峰さんが最初に来日した当時は民主党政権だったでしょう。戦後日本で初めてとなる本格的な政権交代でしたが、その後に自民党が再び政権の座に復帰し、長期にわたる安倍政権が続いて現在に至るわけですが、そうした日本の政治状況を率直にどう思われていましたか。

李　民主党政権に関しては、当時の私は日本の政治がよくわかっていなかったので、コメントできるようなことはありません。ただ、東日本大震災と福島第一原発事故が発生し、大混乱に陥りましたから、再び政権交代が起きたのも不思議ではなかったと思います。

それより私が驚いたのは、2013年に再び東京にやってきた際のことです。書店を訪ね、壁に掲げられたベストセラーランキングのようなものを眺めたら、ヘイト本の類が何冊も並んでいた。いわゆる嫌韓嫌中本です。なんだこれは？　と思って。

青木　僕もあのヘイト本ブームは心の底から辟易しました。「韓国人に生まれなくてよかった」とか「在日特権」とか、事実に基づいて隣国の政治や社会を批判するならともかく、目を背けたくなる差別言辞や虚偽言辞で隣国や在日コリアンへの差別と偏見を煽る書籍や雑誌が量産されました。しかも大手の出版社までが平然と手を染めた。

僕も2000年代初頭に通信社の特派員として韓国に駐在していましたが、韓国でこれほどあからさまな嫌日本というか、日本を悪し様に描くヘイト本の類を書店などで見たことはありません。台湾はどうですか。

李　少なくとも私は見たことがありません。

青木　だとすれば、僕や李琴峰さんも仕事の場としている日本の出版状況の異様さが際立ちます。いったいなぜこんなに無惨なヘイト本が量産されたのか。

李　これについては、平野啓一郎さんも同じようなことを指摘されていらっしゃいましたが、自信のなさのあらわれなのでしょう。戦後の日本は驚異的な高度経済成長を成し遂げ、世界2位の経済大国となり、〝アジアの雄〟として長く欧米の先進国と肩を並べていました。いえ、もはや日本はアジアですらなく、アジアの国々を見下していたのかもしれません。

ところがバブル崩壊後の日本は、「失われた20年」とか「失われた30年」などと呼ばれる長期の経済低迷から抜け出せず、一方で中国や韓国、そして台湾も経済成長を果たし、経済規模で世界2位の地位も中国に奪われてしまいました。

青木　しかも人びとの豊かさを示す1人あたりの名目GDPでは、2022年に台湾に抜かれ、23年は韓国に抜かれたといわれています。

李　そうなってくると、自分たちの国の政治や社会と向き合って反省すべきを反省する気の重い作業より、他の国や周辺の国のダメなところをことさらにあげつらい、攻撃している方が楽だ、溜飲を下げてひととき優越感に浸りたい、ということになってしまっているのではないでしょうか。

国際社会における台湾の立ち位置

李　もうひとつは、これが安倍政権の特質でもあったという点です。敵対する者とか、意に従わない者とか、気に入らない者たちにレッテルを貼り、激しく攻撃を加える。韓国も中国も「反日」だと決めつけて攻撃し、そうすることで自らの失政や自国の政治の問題点をいっとき棚上げできる。棚上げできなくても、目を逸らして責任転嫁できる。そういう政治的な思惑や戦略もあったんだろうと私は思います。

青木　意識的か無意識的かはともかく、隣国やマイノリティへのヘイトを近年の政治が盛んに煽ったのは事実ですし、それが自信の喪失によるものだという指摘にはまったく同感です。

そういえば、僕が最近取材した韓国の知日派学者も同じことを言っていました。かつては歴史問題などで比較的鷹揚《おうよう》な面もあった日本の政治が近年、隣国との関係や外交面で妙に攻撃的になり、強硬な姿勢ばかりが目立つのは、これは決して強さのあらわれではなく、むしろ弱さや自信のなさの表出ではないかと。

ただ、この点で台湾の位置は少々独特なところがありますね。中国はけしからん、韓国もけしからん、北朝鮮はもっとけしからんと日本の政権やその取り巻きが勇ましく批判する一方、台湾を声高に攻撃することはほとんどない。韓国や中国と違って台湾は「親日」的だと捉えられていることに加え、近年の政権が台湾有事の脅威を盛んに煽っていることも作用しているのでしょうが。

李　いろいろねじれていますよね。もちろん、国際社会における台湾の立ち位置は非常に微妙で困難なところが多いのも事実です。中国の脅威はたしかにあって、台湾の人びとにしてみれば、それはまさにリアルな脅威。そうしたなか、台湾の人びとの間に反中的な感情が高まるのは、ある意味で無理もないことだと思います。

しかし、ふだん嫌韓嫌中を唱える日本の政権や保守の人びとは、台湾のそういった反中的な感情を利用しているだけだと私には感じられます。

青木　というと？

李　台湾で現在政権を担っている民進党はリベラル的な色彩が強く、ジェンダー平等や

ＬＧＢＴＱの人権保護などに取り組んできましたが、やはり最も重要な政治課題は中国との関係です。

だから民進党はリベラル政党なのに、むしろ日本の保守政権と仲がいい。私個人がどうかといえば、台湾で戦争が起きるのは絶対に嫌ですが、だからといって日本の保守に媚びたいかといえば、決してそんなことはない。

青木　やはり日本と台湾の政治的関係はいろいろねじれがある。

李　しかも日本の保守勢力とか、特にネトウヨと称されるような層に顕著ですが、そうした人びとの言説を眺めていると、台湾をいまだに植民地かのように見下しているような、そんな言説も目につきます。日本が統治したから台湾は近代化したとか、台湾人は日本に感謝しているとか、だから台湾は「親日」なのだとか、ニッポンすごーい！　みたいな言説にはほとほと呆れています（苦笑）。

青木　まったくお恥ずかしい（苦笑）。

しかしどうですか、こうした率直な社会批評や政治批評を発信している作家は、これも残念ながら日本では決して多くない。この連載に登場してくれた方だと、平野啓一郎さんや中村文則さんといった作家は鋭い批評を日々発信していて僕は敬意を抱いていますが、最近だと李琴峰さんもそのおひとりです。

ただ、李琴峰さんは女性ですし、台湾に出自を持つ立場。もし中国や韓国の出身ならもっとひどいバッシングを浴びるかもしれませんが、それでも大変なのではないですか。

李　大変は大変ですよ、やっぱり。しかも台湾出身なので、叩かれ方もねじれています。

ひたすら沈黙を守っているのは許されない

李　たとえば「お前は台湾人なのになぜ反日なんだ」とか。いやいや、当たり前の話ですが、台湾にも「反日」的な人はいるし、そもそも私は「反日」ではない（笑）。

ほかにも「台湾人なのに反日なのは国民党支持者だからだ」とか「絶対に外省人（戦後に中国大陸から台湾に移住した人びとやその子孫）だ」とか。でも私は国民党支持者ではないし、外省人でもない。何もかもが間違いだらけで、そんな叩かれ方をするのもしょっちゅうなので、ですから大変といえば大変です。

青木　嫌になったり、めげたりしませんか。

李　めげるときだってありますよ、さすがに。だから最近はネットでそういう発言をするのは少し控えるようにしました。世界中の不特定多数の人に発信するネットは、どこから何が湧いてくるかわからない。特にツイッター（現在はX）は典型的ですが、発言が非常に断片的で、都合よく切り取られて利用されやすい。

そういう場で発言しても自分の真意は伝わらないだろうと考えるようになり、ツイッターのようなプラットホームでの発言は最近控え気味にしています。でも、そういう発言をまったくしないのも、それはそれで違うなと思っていて。

青木　これは中村文則さんがおっしゃっていましたが、自分が考えていること、思っていることをきちんと発信しないような作家は信用できないし、そんな作家の作品を読みたくもないでしょ、と。いかにも中村さんらしい刺激的な物言いですが、平野啓一郎さんも同じようなことをおっしゃっていて、僕もそれに同感です。

　また、社会的影響力のある作家やアーティストのような人びとが政治や社会にきちんと物申すのは、かつてジャン＝ポール・サルトルが訴えたアンガージュマン（知識人の社会参加）を持ち出すまでもなく、ある種の責任ではないのかと僕などは思ってしまったりもするのですが。

李　私自身、ある種の責任意識はあると思います。たしかに純文学の世界で政治的な発言を積極的にする人はあまりいない。少ない。

　でも私は、自分の作品のなかでセクシャル・マイノリティの人びとを多く描いてきたわけですから、現実に生きるセクシャル・マイノリティの人たちについて何も発言しないのは、やはり不誠実だと思います。ただ消費しているだけではないか、ということにもなってしまう。

　ですから、ある種の発言や表明は必要だと考えています。特に現在、ＬＧＢＴＱ＋をめぐるバックラッシュが激しさを増し、トランスジェンダーへの差別言説がこれだけひどくなっているなか、ひたすら沈黙を守っているのは許されない。

青木　最後にもう一点、うかがいたいことがあります。先ほども引用した朝日新聞への寄稿ですが、オーストラリアのシドニーで毎年開かれる世界最大規模のＬＧＢＴの祭典「マルディ・

グラ」が紹介されていました。そして同性愛が犯罪として迫害されていた時代に祭典がスタートした歴史をひもとき、同時に祭典がオーストラリア先住民の歴史にも敬意を払っていることに触れていますね。土地を奪われ、文化と慣習を消され、数々の迫害を受けた先住民への敬意が祭典では示され、それがオーストラリア社会で共有されていると。そのうえで李琴峰さんは、歴史を学び、記憶し続けることの重要性を訴えていました。これも昨今の日本で失われがちな、非常に大切な指摘だと思って読みました。

負の歴史を忘れないということ

李　もちろん歴史を知るのは容易なことではありませんし、歴史から教訓を得るなどということが人間に本当にできるのか、疑問に思ってしまうことも正直なところあります。ただ、それをしないと何もはじまらない。台湾だってかつては独裁政権でしたし、激しい言論弾圧や拷問もあった。そういう歴史は絶対に忘れないという想いの先に現在の台湾社会はあります。

オーストラリアに行って強く感じたのは、朝日新聞にも書いたとおり、先住民への迫害の歴史を絶対に忘れてはならないという姿勢でした。ＬＧＢＴＱコミュニティも同様です。マルディ・グラがシドニーではじまったのは１９７８年ですから、今年でちょうど45年になるのですが、そうした歴史をきちんと記録しようという姿勢が強く感じられた。

当然ですが、日本にも自分たちの歴史がある。先の戦争などに絡む負の歴史もある。LGBTQ+をめぐっても、明らかな差別や抑圧があった。そんなものは欧米諸国の話であって、日本にはないという人もいるでしょうが、ないのではなく、知らないだけ。それを歴史としてきちんと蓄積し、整理し、伝えていく必要があると思っています。

青木　それもまったく同感ですが、ジェンダーやLGBTQの問題だけではなく、昨今の日本では歴史問題でも激しいバックラッシュが起き続けています。いわゆる歴史修正主義というか、元徴用工や慰安婦問題にせよ、関東大震災時の朝鮮人虐殺にせよ、あるいは先の大戦の責任などをめぐっても、史実を歪めたり、あるいは史実そのものを否定するような動きさえある。これも政治が先頭に立って煽っていて、まさに「歴史への敬意」が失われている状況ではありませんか。

李　そうですね。沖縄をめぐってもそうした状況はあって、歴史を否定したい人たちが明らかに台頭してきている。ただ、そのあたりは私が発言するより、青木さんたちが発言すべきことかもしれません（笑）。

青木　たしかにそうですね（笑）、これは僕たちジャーナリズムの世界がもっと歯を食いしばらなくちゃいけないテーマでした。でも今日はとても楽しかった。ありがとうございました。

李　こちらこそ、ありがとうございました。私もとても面白かったです。

（2023年7月18日）

李 琴峰 りことみ

1989年生まれ。小説家、翻訳家。2013年に来日、早稲田大学大学院日本語教育研究科修士課程を修了。2017年に『独り舞』(光文社)で第60回群像新人文学賞優秀作を受賞し、デビュー。2019年に『五つ数えれば三日月が』(文藝春秋)で芥川龍之介賞候補、第41回野間文芸新人賞候補となる。2021年に『ポラリスが降り注ぐ夜』(筑摩書房)で第71回芸術選奨新人賞を受賞。同年、『彼岸花が咲く島』(文藝春秋)で第34回三島由紀夫賞候補、第165回芥川龍之介賞を受賞。他の著書に『星月夜』(集英社)、『生を祝う』(朝日新聞出版)、エッセイ集『透明な膜を隔てながら』(早川書房)など。

第2章

╳中島岳志

「永遠の微調整」としての保守をよみがえらせる

世に政治学者は数多いるが、中島岳志さんは現在のこの国で最も信頼に値する政治学者の筆頭格だと私は思っている。ご自身の政治的立ち位置を〝保守リベラル〟だと公言する中島さんからは、特に〝保守思想〟なるものの本質をあらためて教えられるはずだ。詳しくはインタビュー本編に譲るが、中島さんの解説を煎じ詰めれば、〝保守〟とは次のような姿勢と佇まいを指す。

すなわち、長い時間をかけて築かれてきた歴史や伝統には先達の経験に基づく知恵や叡智がそれなりに埋め込まれている。また、人は常に過ちを犯す存在でもある。だから理想なるものを掲げて急激な変革を唱える動きには懐疑の眼を向け、まずは歴史が紡いできた伝統や慣習を重んじる。ただし、それに拘泥はせず、妄信はもちろん排し、時代や環境の変化に伴って必要な変化はためらわない。でなければ歴史や伝統そのものも失われてしまう。

つまりは「永遠の微修正」。これこそが〝保守思想〟の真髄であり、したがって〝保守〟と〝リベラル〟は決して対立するものではない、と中島さんはいう。他者の声に耳を傾け、対話によって合意点を見出そうと努め、排除ではなく寛容を、強制ではなく自由を尊ぶという意味で両者は対立するどころかむしろ親和性が高いはずなのだ、と。

では昨今のこの国で、ことさら〝保守〟を自称する為政者やその追従者たちの態度をどう評すべきか。古びた国家観や家族観にひたすら拘泥し、自らの意に沿わぬ者には罵声を浴びせ、歴史すら平然と歪める態度は〝保守〟などでは断じてなく、皮相で野蛮な〝復古主義〟、あるいは〝反動〟に過ぎない。と同時に、科学とリベラルアーツ＝教養に関する中島さんの言及も、この国の政治と為政者に欠けているものを浮かびあがらせてくれるだろう。

青木理（以下青木）　この国の戦後政治は、「保守」を自称する自民党がほぼ一貫して政権を担ってきました。とはいえ、歴代政権とその主となった為政者の思想や姿勢にはグラデーションがあり、特に最近の政権は「保守」と呼べるかどうか疑問も湧きます。
　では、そもそも政治思想における保守とは何か。政治学者としてそれを深く研究し、考察してきた中島さんに今日はじっくりとお話をうかがいたいと思います。タイトルをつけるとすれば、〈戦後日本と保守政治〉という感じでしょうか。

中島岳志（以下中島）　承知しました。

青木　ところで中島さんご自身、自らの政治的立場を保守と位置づけていますね。

中島　そうですね。正確にいえばリベラルな保守でしょうか。

青木　その保守思想とは何か。中島さんは著書などでイギリスの政治家、思想家のエドマンド・バーク（1729〜97年）がその源流と指摘されています。

中島　ええ。保守思想も歴史的経緯のなかから生まれてきたもので、エドマンド・バークは原点に存在するとされています。

永遠の微調整という保守の立場

中島　バークはちょうどフランス革命期にイギリスで政治家を務め、対岸のフランスの革命でヨーロッパが大騒ぎになっていた当時、『フランス革命についての省察』（1790年）を著します。これはフランス革命批判の本で、近代啓蒙主義に対するアンチテーゼの立場としての近代的保守が定義された瞬間といわれています。ですから保守とはそもそも左への対抗原理として生まれたといえるでしょう。

青木　バークのフランス革命批判はどういったものだったんですか。

中島　煎じつめていうと、人間観がおかしい、ということになると思います。フランス革命を進めた人びとは人間の理性を無謬《むびゅう》のもの、間違いのないものだとみなしていると。賢い人間の理性に基づいた設計図どおりに革命を進めれば、世の中はすべて良い方向に進歩していくから頑張ろうぜ、というのがフランス革命であり、近代の啓蒙思想なら、その人間観には大きな誤りがあるのではないか、とバークは考えました。

むしろ歴史のなかの人間の営みを振り返ると、いくら頭が良くても人間は必ず間違いを犯す。世界のすべてを認識することなどできず、誤認を繰り返す。不完全性こそが人間の本質であり、不完全な人間の集合体である以上、人間社会は不完全なまま推移せざるをえない。

ならば理性への過信を強く持たず、歴史の風雪に耐えてきた伝統や慣習や良識といったもの、そうした経験値に依拠した方がいい。ただし、世の中は確実に変わっていくのでグラデュアル(gradual)に、これは漸進的《ぜんしん》という言い方もしますが、徐々に変えていくのがいいとバークは訴えました。

僕はこれを「永遠の微調整」と表現していますが、そういう形でしか人間の社会は成り立ちえないのではないか、これが保守の立場です。この立場からすると、リベラリズムと非常に密接につながってきます。

青木　というと?

中島　人間の不完全性というもの、それを「懐疑的人間観」と言い換えても構いませんが、そうした前提に立つ以上、その矛先は常に自分にも向けられます。いまこう語っている僕自身だって、必ず間違いを犯す、どこかに誤認があると考える。

ならば、自分と異なる見解を述べる者の意見を聞こう、ということになります。異なる見解や意見に耳を傾け、それに一理あれば合意形成して着地点を見出すのが保守政治。つまり保守とは、異なる他者の意見を尊重しつつ合意形成を目指す立場で、基本的にリベラル＝寛容になります。

逆に、保守思想にとって最も相容れないのが、20世紀においてはファシズムと共産主義でした。

冷戦の終結で軸がおかしくなる

中島　この双方はいずれも特定の人間の考えや思想、発言の無謬性といったもの、さらにいえば「正しさの所有」という立場から世界を作りかえ、あるいは改造していこうとします。しかし、そこに必ず過ちが含まれていると考えるのが保守の立場です。

たとえばヒトラーにしろ、スターリンにしろ、毛沢東にしろ、なぜ彼らの下で粛清などが起きてしまったのか。そうしたことをずっと批判的に見てきたのが保守でした。

ところが最近の日本の保守とされる人びとは真逆に振れていて、特に安倍政権は典型ですが、野党の言い分などは一切聞かず、憲法さえ軽んじて強行採決を繰り返す。しかも自分の間違いや過ちは認めず、無謬性のような態度にしがみつく。これを保守とはとても認められません。

青木　安倍政権については後ほどまたうかがいますが、一般的に「左」＝リベラルとか進歩主義、「右」＝保守主義といった捉え方をしますが、これは単純化しすぎというか、根本的には誤りということですか。本来の保守はリベラリズムと親和性があり、むしろ保守はそれを内包しているはずだと。

中島　そのはずです。だって、自民党の正式名称は自由民主党ですよ。

青木　英語表記では「Liberal Democratic Party」ですからね。

中島　一方、左翼的国家は歴史的にも決してリベラルではありません。だから冷戦体制下、西側陣営の保守層は、自分たちこそが自由主義を、リベラリズムを守っていると考えた。ソ連を見てみろ、ああいうふうには絶対になりたくないよね、と。そうした想いは1955年の保守合同（当時の自由党と民主党が合同し、保守政党として自民党を結成。同年に左右の日本社会党も統一され、以後長きにわたる「55年体制」が続く）の際にも強かったわけです。

ところが冷戦が終結し、軸がおかしくなった。まずは左の陣営が「革新」という言葉を捨てていくプロセスがあり、日本では「革新勢力」が消え去りました。特に90年代後半に民主党が生まれてくるプロセスのなかで、保守勢力に対して自分たちはリベラルだと、それを自らの立ち位置として定義します。

このベースにあったのはアメリカの二大政党でしょう。保守的な共和党に対するリベラルな民主党。この対抗軸が作られたあたりからおかしなことになった。「保守対リベラル」などと一般にも評されるようになってしまいました。

しかも保守の側も本来の保守とは異なる右傾化の道を突き進み、どんどんパターナル（権威主義的、父権制的）になったから、「保守対リベラル」といった定義が適切かのような印象を多くが抱いてしまいました。

青木　冷戦の終焉後、旧来の左派が自らを再定義する過程でリベラルを旗に掲げ、一方で保守も自らの立ち位置を見失い、おかしくなってしまったと。

日本の保守論壇に大きな変化

中島　そのとおりです。冷戦体制下はわかりやすい敵がいましたから、対抗軸として自分たちを規定することができました。ところが敵がいなくなった途端、保守陣営も中身が相当にぐちゃぐちゃになっていった。これは世代交代の影響も大きいと思います。

青木　どういうことですか。

中島　冷戦終焉の少し前の80年代ぐらいに、いわゆる日本の保守論壇に大きな世代の変化が起きたんです。これは戦争体験の問題が大きく関わっています。

僕は以前、『保守と大東亜戦争』（集英社新書）という本に書きましたが、田中美知太郎氏（1902〜85年、哲学者）とか福田恆存氏（1912〜94年、評論家）とか、戦後の保守論壇を当初牽引した論客たちは、先の大戦中に20歳以上だった世代でした。

青木　ギリシャ哲学の権威だった田中美知太郎は、保守論客の重鎮だった福田恆存や小林秀雄（1902〜83年、文芸評論家）らとともに保守団体の日本文化会議を設立しましたね。

中島　ええ。特に田中美知太郎氏は戦時中にもう30代で、あの大東亜戦争が嫌で嫌で仕方なかった。壮大な設計主義に基づいて満州事変を起こし、傀儡《かいらい》国家の満州国を建設し、世界を統一するなどと訴えている連中は、岸信介氏あたりをはじめとして「革新勢力」だと彼らは捉えていました。

しかも先の大戦は、そうした勢力と新興国アメリカの戦いなので、どちらにつくこともできはしないと考え、苦々しい思いを抱えていたのが彼らでした。

出版界では、文藝春秋の池島信平氏（1909～73年、同社元社長）もそうです。池島氏も戦争中、隣席で目の色を変えて『古事記』などを読んでいる連中が本当に嫌で仕方なかった。そうした人びとが戦後の保守論壇を担ったので、大東亜戦争肯定論などが出てくる余地はありませんでした。

ところが80年代ぐらいになると次世代の保守論客とされる一群が登場します。渡部昇一氏（1930～2017年、上智大名誉教授）とか西尾幹二氏（1935年～、ドイツ文学者）とか、あるいは僕の先生でもある西部邁氏（1939～2018年、経済学者・評論家）もそう。先日亡くなった石原慎太郎氏（1932～2022年、作家・元東京都知事）もそのど真ん中にいた人ですね。

こうした人びととは、戦争体験が幼少期です。そうした世代は戦後の歴史教育を受け、それに対する反発が極めて強い。だから「左翼の歴史観は何だ」といった形で歴史認識問題が非常に強く出てくる。

新しいタイプの保守が登場した

中島　政治との絡みでいうと、こうした人びとと中曽根康弘内閣が合致します。歴史教科書、あるいは靖国参拝などが、保守とされる政治・論壇の大きなテーマとされ、80年代後半には赤報隊事件が起きたり、朝日新聞バッシングなども盛んになる。その主要舞台のひとつになったのが『諸君！』でした。

青木　文藝春秋が１９６９年から２００９年まで発行したオピニオン月刊誌ですね。たしかに『諸君！』では南京虐殺否定論や朝日批判が盛んに展開されました。池島信平が社長就任直後に創刊されたのは皮肉ですが。

中島　そういった新しいタイプの保守とされる人びとが登場し、さらに冷戦終焉と共産主義国の失墜が重なった。こうして日本の保守の展開が変わっていったというのが、僕の見立てです。

青木　非常に興味深いお話です。つまり、戦前戦中の日本のファッショ体制と共産主義は、ある意味で非常に近いというか、同じ範疇に含まれると戦後保守は捉えていたと。

中島　そのあたりはたしかに興味深くて、戦前の日本の右翼はマルクス主義の影響を強く受けています。北一輝（１８８３～１９３７年、戦前右翼の理論的指導者）や大川周明（１８８６～１９５７年、同）は「革新右翼」などと評されましたが、１９３０年代の日本を動かした右翼と呼ばれる人びとは、多くが若き日にマルクス主義の洗礼を受けているんですね。

実際に大川はロシア革命に歓喜しています。また大川と北は大正デモクラシー期に猶存社《ゆうぞんしゃ》という右翼団体を作りますが、その際に自らを「革新」であると位置づけます。

青木　1919年に結成された猶存社といえば、国家改造を目指す国家社会主義系の団体という性格を持っていましたからね。

中島　そうです。実際に大川自身、首相・犬養毅らを殺害した5・15事件で検挙された際、調書で自らの立場を語っています。

どういう内容かというと、大正デモクラシー期にはいくつかの「革新」の流れがあったと。ひとつは共産党。もうひとつは大杉栄（1885〜1923年、無政府主義の活動家）をはじめとするアナーキズム。また、のちの社会党や社会大衆党に連なる無産政党の流れがあり、そして高畠素之（1886〜1928年、社会思想家・マルクス『資本論』の日本で最初の完訳者）らのような国家社会主義の立場があったと。

大川は、自らがこの高畠と非常に近いと告白しているんです。ただ大きく違うのは「日本的であること」だと。

安倍晋三の本質は「岸晋三」

中島　要するに彼らは「一君万民」で、天皇の超越性を認めると他はすべて一般化・平等化される。これは一種究極的な共産思想ですよ。そこに天皇を突き刺せば、日本原理への回帰こそが万民の平等を生み出す。だから君側《くんそく》の奸《かん》、つまり天皇の側で政治を牛耳る連中を一掃せよ、というテロ、クーデターにつながっていく。

そうして起こされた5・15事件や2・26事件に関わった青年将校らについて、戦後の保守論壇を牽引した田中美知太郎氏や福田恆存氏らは、非常におかしな連中だと捉えていました。あれは「左翼」であり「革新勢力」だと。人間とはそういうものではない、という確信が彼らにはあった。

青木　共産主義にせよ国家社会主義にせよ、自らの思想を絶対視し、それこそが世界や人類を理想に導くと考える点では同じであり、本来の保守としては容認できないと。

中島　そのとおりです。「八紘一宇」もそう。世界は天皇の下にすべて一枚岩に平等化されるから、満州国という「王道楽土」「五族協和」を設計していこうという思想など、本来の保守思想とは相容れないものです。

青木　ということは、「革新官僚」として満州国の経営にもあたった岸信介なども、本来の保守思想からいえば異様な存在であって、国家社会主義者に分類した方がいいと。

中島　これは青木さんの仕事、安倍家の系譜を追った『安倍三代』（朝日文庫）から学びましたが、安倍氏の母方の祖父である岸信介氏より、父方の祖父の方がはるかに良質な保守政治家でしょう。

青木　戦前戦中に山口県議や衆院議員を務めた安倍寛ですね。僕はかなり取材しましたが、日本海側の小さな町で地元民の絶大な信頼と支持を受け、相当に腰の据わった反戦、そして反骨の政治家だったようです。

その真価は1942年の翼賛選挙でも発揮されました。東条英機政権下の衆院選で、寛は翼賛政治体制協議会の推薦を受けずに出馬し、特高警察などによる弾圧を受けながらも当選を果たしている。残念ながら1946年に50代の若さで亡くなってしまいましたが。

中島　その一人息子が安倍晋太郎氏で、彼も大変立派な保守政治家だったと僕は思います。ところが晋三氏は父への反発が強いのか、安倍家に背を向けて岸家の方に目がいってしまう。本質は「岸晋三」なんですね。

青木　いずれにせよ本来の保守とほど遠い。

中島　まったく異質です。

大半の保守派は左へのルサンチマン

青木　さきほど中島さんは、80年代ぐらいに新世代の保守論客が登場し、日本の保守の方向性が歪んでしまったと指摘されましたね。その代表として渡部昇一や石原慎太郎、西部邁といった名を挙げげました。石原氏や西部氏は僕も若干交流がありましたが、西部氏は中島さんの師匠でもあったわけですね。

中島　ええ。僕は学生時代に西部先生から大きな影響を受け、保守とは何かについて考えなければいけないと思い、それがちょうど90年代ですが、同時代の『諸君!』や『正論』は細かく眼を通しました。

ただ、読んでいて投げ捨てたい気持ちになったんです。なんだ、これはと。これが日本の保守といわれている人たちかと。大半が「左」に対するルサンチマンというか、薄っぺらなアンチテーゼでしかなかった。

そうして日本の保守に絶望したとき、もっと古い世代の保守の論客、たとえば田中美知太郎氏の書いたものを読むと、そちらの方が僕にはしっくりきた。だから保守についての勉強をすればするほど、そして保守思想にシンパシーを持てば持つほど、90年代以降の保守を名乗る人びとに僕はまったくシンパシーを感じられませんでした。

青木　それは西部氏も含めてですか。

中島　いえ、西部先生はかなり違いました。実は先生自身、同時代の保守を嫌っていたんです。もちろん歴史認識の問題などをめぐって僕は、先生の考えに同意できない部分がたくさんあって、実際にぶつかることも多くありました。とはいえ先生は保守という思想への理念がしっかりしていました。

しかし、他の保守派とされた論客の大半は「左」へのルサンチマン、「反左翼」の感覚ばかり。それが僕からは物事をきちんと論理立てて考えているように見えず、まったく評価する気になりませんでしたね。

青木　振り返ってみると、たしかに戦後論壇というか、メディア界全体もそうでしょうが、いわゆる「左派」とされる論調が力を持つ時代が続きましたからね。無謀なファシズムで国を破滅に追いこんだ戦前戦中の反省に立脚すれば当然だったと僕は思うし、果たしてこれが本当の意味で「左派」だったかどうかは議論のあるところだと思いますが。

中島　まさにおっしゃるとおり、「アンチの共犯関係」のようなものが双方にあったのでしょう。「右」とされる人たちにしてみれば、自分たちはマイノリティという感覚が抜き難くあった。特に言論、教育、アカデミズムの世界は「左」に牛耳られ、自分たちには発言の場がないというルサンチマンです。

一方で「左」とされる側もまた、自らをマイノリティと捉えてきたのではないでしょうか。政権はずっと自民党に牛耳られ、自分たちが暮らす町でも古いヒエラルキーが厳然と残っていて、これに対抗していかなければならないんだと。

かつての自民党は大きな政府志向だった

中島　要するに双方が互いを「壮大な敵」と捉え、アンチの論理で殴りかかっていく構図で「共犯関係」が成り立ってきた。このバランスが冷戦の終焉によって崩れたんです。

青木　「左」とされた側が元気を失い、逆に「右」の側も本来の保守とは無縁な亜種がのさばり、最近はやたら勇ましいことを言い放っていると。
中島　力を失った敵を必死に叩いて、まるでシャドーボクシングしているようで。
青木　たしかに（笑）。
中島　そんな壮大な敵はもういないよ、と言いたいところですけどね（笑）。
青木　ただ、いま中島さんのお話にも出たとおり、言論界やアカデミズム界は別としても、この国の戦後政治はほぼ一貫して自民党が政権を担ってきました。もちろんトップの政治思想は相当に幅広く、中曽根のようなタカ派もいれば、護憲を明確に掲げた為政者も存在しました。この歴代政権を、保守思想の観点からどう捉えていますか。
中島　政権を担った政治家によりけりという感じはありますが、大きくいってかつての自民党は相当な「再分配政党」だったことを、まずは指摘しておく必要があるでしょう。自民党政権は、長らく「大きな政府」を比較的志向してきたわけです。
もちろんその再分配のあり方が不透明で、業界団体などを通じた裏金やヒエラルキーに偏ってきたことは大きな問題でしたが、しかしほぼ一貫して地方などにカネを配分し、社会主義とまでは言わずとも、国土発展の均衡を保とうとしてきました。
その大きな潮流のなかで、僕が一番しっくりくるのは保守本流といわれた宏池会です。この宏池会と、田中派の系譜を継ぐ経世会の両派閥が長らく自民党の保守本流、中心軸を形成してきました。１９７０年代なら田中角栄氏と大平正芳氏ですね。
特に僕は大平正芳という政治家を尊敬しています。大平さんは非常に知的で、かつ保守の思想をよく理解していたと思うからです。

大平正芳の思想とは

中島　たとえば、かつて大平さんは「政治は60点でなければならない」と語りました。100点を取ろうとするのは共産主義者だということです。それは自分という存在の能力への著しい過信であって、政治はあくまでも「60点」でなければいけないと考えた。でないと自分の誤謬に気づかない。

だから野党の訴えにも耳を傾け、なるほどと思えば合意形成を図り、そういう40点の部分を残しておかなければならないというのが大平さんの政治哲学でした。

ほかにも大平さんは「楕円の思想」という言葉も遺しています。これも共産主義者は中心がはっきりした円を描き、こうなると「正しさの所有」が起きてしまう。そうではなく、もうひとつ別に中心を置き、楕円を描くことが政治には肝要だと彼は言うんですね。

青木　僕も「楕円の思想」には政治の大切な教訓が含まれていると思います。それは権力とその行使への畏れがあるか否か、ということではないでしょうか。

言うまでもなく絶対的に正しい為政者、絶対的に正しい政治などは存在せず、権力は腐敗する、絶対的権力は必ず腐敗する。その真理に則れば、権力を過度に集中させずに分散させ、互いにチェックして均衡を保った方がいい。そのことを政治家自身が自覚しているか否かは、右とか左とかにかかわらず、権力を握る者として決定的に重大な資質ではないかと思います。

中島　そのとおりです。ですから自民党のすべてを肯定しませんが、かつての自民党の良質な部分のなかには、大変立派な保守思想というものがあった。特に70年代はそういったリーダーが均衡状態を形作っていました。大平正芳がいて、田中角栄がいて、福田赳夫がいて、三木武夫といった政治家もいた。

やはり独占的な政治は問題が多く、批判勢力も存在せねばならず、政治家は常に謙虚でなければならないと考えたのが大平さんです。実際にライバルが多く、最後に首相に就きましたが、「楕円の思想」の政治哲学は外交にも大きな成果を残しました。

たとえば田中政権が成し遂げた日中国交正常化（１９７２年）は、外相の大平さんがその交渉のほとんどを担っています。その前の日韓の国交正常化（１９６５年）も大平さんが極めて重要な役目を果たしていますね。

青木　日韓交渉のヤマ場となった請求権・経済協力協定の交渉では、韓国が請求権を放棄する代わりに「無償3億ドル、有償2億ドル」を日本が供与することで決着しましたが、これを韓国側と取りまとめたのが池田勇人政権の外相だった大平正芳でした。

中島　そこにはアメリカとの関係も良好に保ちつつ、もうひとつの極とも連携を深めてバランスをとっていく、そういう大平さんの思想が垣間見えます。

経世会と宏池会は保守本流だった

青木　話は少し脇にそれますが、いまこそ大平的な思想に基づく外交が求められているのかもしれませんね。たしかに日米関係は重要ですし、中国の覇権主義や人権状況などは大きな懸念材料ですが、だからといって日本の外交が現在の姿でいいのか。ひたすら米国に追随し、軍事的にも一体化し、近隣国とは軒並み角を突き合わせている現状に、バランスも多様性も、老練さささえもありません。もう少し「楕円の思想」的外交が必要でしょう。

中島　そうなんです。本来は宏池会直系の人がいま首相になっているはずなのですが、彼（岸田首相）はやはり大平さんのような含蓄というか、厚みがない。その時々に力を持つ人に寄り添うだけなので、言っていることがコロコロと変わる。ブレることにおいては一貫しているという変な人（笑）。

青木（笑）。その宏池会ですが、どちらかといえば官僚出身のエリート層が多い派閥と認識されてきましたね。大蔵官僚出身の宮澤喜一などは典型ですし、大平もまた大蔵官僚出身で、だから〝お公家集団〟などと評されました。

一方で田中派やその系譜を継ぐ経世会は、田中角栄にしても竹下登にしても、あるいは野中広務などもそうですが、地方出身の叩きあげ政治家、いわゆる党人派が中心を占めた派閥です。だからこそ、その手法や体質を肯定はできないにせよ、地方への再分配政策というか、もっと直截《ちょくせつ》に表現すれば地元への利益誘導型の政治を牽引した。この田中派、経世会と宏池会が長きにわたって日本の戦後政治というか、自民党政治を規定してきたわけですね。

中島　ええ。そして実は大平さんも香川・観音寺の農家出身なんですね。大変苦労して大学に進み、官僚となり、池田勇人氏に見出されました。

しかも大平さんは周囲にいろいろな不幸があってクリスチャンにもなっていました。そうした痛みというか、地方の窮状を含めた戦後の暗さのようなものを身にしみてわかっている。これは宮澤さんなどもおそらくはそうだったでしょう。

そうした土台のうえで立身出世した人びとが政治を担った時代が終わり、その後は完全に状況が変わってしまいました。安倍元首相や岸田首相は典型ですが、大半が2世、3世で、選挙地盤は地方でも東京育ちです。

青木　たしかに世襲は大きな問題ですが、自民党内の権力構造の変化もあるでしょう。

かつては田中派や経世会、宏池会が保守本流として牛耳ってきたけれど、２０００年代に入ると森喜朗政権以降、間に民主党政権などを挟みつつ、ほぼ一貫して清和会の政権が続きます。タカ派的な傾向が強い清和会には、長く主流を構成した経世会や宏池会へのルサンチマンもあるでしょう。また、自民党の再分配政策にはたしかに罪の部分もあったと。

中島　再分配の原理が極めて不透明で、パターナルな原理で進められてきた点です。

村山政権は正統派保守政権

中島　たとえば新潟の人びとにしてみれば、田中角栄を立身出世させることが、自分たちにお金が回ってくることを意味するようになった。そういう関係の下で産業などが構築されたため、たとえば建設業界では多重下請のようなシステムが構造化され、そうした悪弊が日本社会にへばりついてしまいました。

青木　しかもそれが金権政治の温床となり、猛批判されたのは当然にせよ、金権政治を根絶するものとして90年代の政治改革、選挙制度改革が登場したわけですね。同時に戦争体験世代が政治の中枢から退き、政治家の世襲が加速し、戦後長く日本政治を担ってきた保守本流が退潮してしまった。

中島　やはり80年代末から90年代前半がキーポイントです。リクルート事件や佐川急便事件といった政治とカネの問題が相次いだ際、本来取り組むべきはパターナルで不透明な再分配制度の見直しであり、それを透明な制度にするのが目指すべき政治改革でした。

ところが、ここで一気に新自由主義の方向へと引っ張られてしまいます。土建政治はダメだ、再分配はダメだ、各種の規制を取り払えといった方向へと、本来あるべき政治改革、行政改革が90年代の半ばから急速にそう読みかえられてしまったんです。

これは大変大きな問題でした。いまから振り返れば、当時の宮澤喜一首相はそれに抵抗していたんですね。逆に極めて新自由主義的なことを訴えていたのが小沢一郎氏や細川護熙氏です。規制緩和が必要だ、構造改革が必要だと彼らが訴え、そうして自民党政権に一旦終止符が打たれ、細川連立内閣が発足します。

青木　93年に発足した細川連立政権は、現在の小選挙区比例代表並立制を柱とする〝政治改革〟を実現し、しかし8党連立という不安定な政権内の足並みの乱れもあってわずか1年弱で瓦解します。

中島　そして政権に復帰した自民党が組んだのは社会党。つまり当時の自民党主流はわかっていたんです。新自由主義の方向に行ってしまうと、この国の再分配政策がおかしくなってしまうと。

しかも当時の自民党総裁は河野洋平氏でしたから、社会党委員長の村山富市氏と組もうと考えた。保守本流とリベラルがきちんと組んだ政権を作らなくてはいけないと考えてできたのが村山政権でした。

青木　そう考えれば、意外にも村山政権は〝正統派保守政権〟だったということですか。

中島　そうです。当時の自民党の保守本流にとっては、小沢一郎氏や細川護熙氏より、社会党の方が立場が近かった。

55年体制下でよく言われたことですが、社会党の主張を自民党は5年後にやればいいと。そういう感覚がかつての自民党にはあった。もちろんこれは橋本龍太郎政権あたりから新自由主義的な行革路線にグッと舵を切ってしまいますが。

ただ、村山政権の方向性がきちんと定着できていれば、現状はずいぶん違ったものになったと思います。社会党が村山氏、自民党が河野氏、さきがけが武村正義氏、この政権がどういう方向性を持っていたか、あらためて考えてみる必要があります。

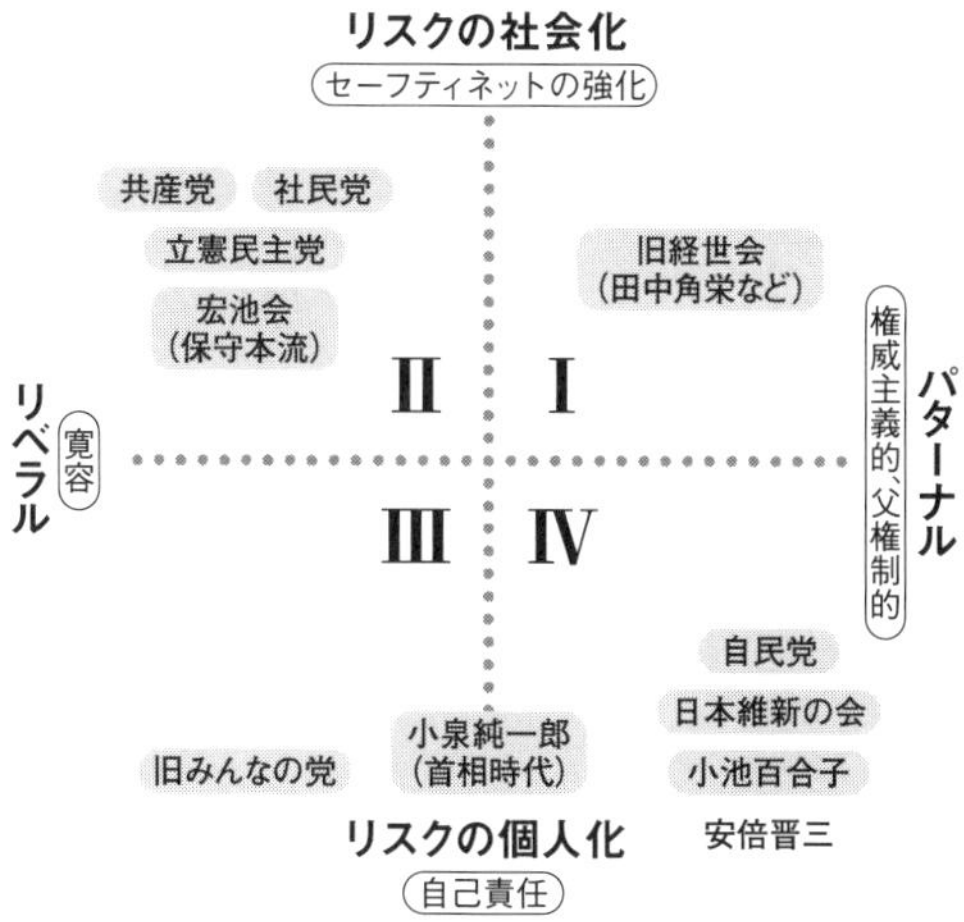

中島氏による現代日本の政治の「リスクと価値のマトリクス図」〈『保守と立憲』（スタンド・ブックス）より〉

自社さ政権はうまくできていた

中島　僕は最近、よく図表を使って「リスクと価値のマトリクス」を指摘しています。すると村山政権はやはり「リスクの社会化＝セーフティネットの強化」＆「リベラル＝寛容」に位置づけられます。一方で歴史認識では、慰安婦問題をめぐる河野談話と戦後50年の節目に出された村山談話。先の大戦に関する総括も成し遂げました。

青木　逆に以前の自民党政権は、再分配によって「リスクの社会化＝セーフティネットの強化」を試みつつ、そのやり方が極めて不透明でパターナルだった。しかし、最近の自民党はパターナルな色彩を一層強め、さらに新自由主義的な「リスクの個人化＝自己責任」に走ってしまっている。日本維新の会などの〝第三極〟も同様ですね。

中島 そうです。ですから自社さ政権は非常に重要な位置にいました。同時に興味深いのは、現在に続く連立政権というもののひとつの重要な起点にもなっているんです。

青木 というと？

中島 たとえば8党連立の細川政権は、それぞれがお山の大将で言いたいことを言い、最終的に瓦解します。

ところが自社さ政権はうまくできていて、社会党とさきがけは小政党なのに、自民党はそれぞれにかなりの言い分を与えたんです。決して自民党だけで決定できないようなシステムを加藤紘一氏（当時の自民党政調会長）らが作り、3対2対1という比にしたらしいんですが、何かを決定する際は自民党が3、社会党が2、さきがけが1の決定権を持ち、社会党とさきがけがイエスと言わなければ全部は通らない仕組みを作った。

そうして連立政権の方法などを鍛え、その先に現在の自民党の強さというものもある。

青木 そう聞くと皮肉な気もしますが、歴史認識をめぐる村山政権の態度も、あらためて考えると保守的といえるのかもしれませんね。歴史的な事実を直視し、相手国の歴史認識にも配慮して謝罪すべきは謝罪し、交渉などで互いの合意点を探っていく。

それに比べると、歴史的事実に関する相違を「歴史戦」などと位置づけ、自己の歴史認識に都合のいい事実をかき集めていがみ合うのは、本来の保守思想とは最も遠い。

中島　僕が考えるリベラル保守はまさにそこが重要です。権力のなかにバランス感覚があり、自分たちだけでは決定できないシステムを権力にビルトインしていく。ですからいまから考えると、90年代半ばの政治プロセスというのは非常に重要でした。

進むリスクの個人化

中島　これも青木さんが以前書かれたことですが、安倍晋三氏の初当選が93年だったのは象徴的です。細川政権が発足した時期で、自民党のトップも宮澤氏から河野氏に代わる。

そんなリベラルな自民党で安倍氏は初当選し、しかも当時は野党に下っていてヒマですから、中川昭一氏らが音頭を取り、右派的な歴史認識に基づく議連のようなものを作り、そこに安倍氏も呼ばれる。

おそらく当時、安倍氏には大したイデオロギーもなく真っ白の状態でしたが、中川氏あたりに声をかけられて急速に右傾化していった。そうして傍流だった清和会系の政治家たちが「歴史戦」の流れを作った。

青木　前後して冷戦が終焉し、日本でも左側とされた勢力が退潮し、しかもアメリカ発の新自由主義に席巻されていったと。

中島　そうです。先ほどのマトリクス図でいうと、「リスクの個人化＝自己責任」という流れに傾き、「リベラル＝寛容」に対する「パターナル＝権威主義的、父権制的」な傾向も強まっていく。

そこに登場したのが小泉政権です。小泉純一郎氏が「自民党をぶっ壊す」と訴えたのは、旧来の自民党的な利権や既得権益システムでした。そして郵政民営化などを梃子《てこ》にして「リスクの個人化＝自己責任」という方向に持っていきます。

青木　当時はさまざまな局面で「自己責任論」も社会に飛び交いました。

中島　それが一見したところ「改革」に見えてしまったわけです。世の中にもウケたため、清和会政権が自民党を一気に「リスクの個人化」の方向に引っ張っていく。

この小泉政権を継いだのは、再分配の問題にほとんど関心がない、ある意味でイデオロギータイプになっていた安倍氏でした。だからさらに「リスクの個人化」が進み、しかも「パターナル＝権威主義的、父権制的」な方向にますます傾斜していく。これがこの十数年、日本で起きてきたことです。

青木　ただ、自民党内部の潮流をあらためて振り返ると、安倍的な政治思想というか、そういう立場が一貫して存在していたのも事実ではありますよね。岸信介あたりはその代表格でしょうが、その後も青嵐会であるとか、自民党内部には強固な右派、国家主義者が常に一定の勢力として存在した。

もちろん田中派や経世会、あるいは宏池会が保守本流として主流だった時代、そうした勢力はあくまでも傍流であり、「右側のはしっこにいる少し変わった連中」と認識されていたわけですが、しかし一定の勢力として自民党内に脈々と存在しつづけてはいた。

そうした勢力のまさにプリンスというか、岸信介の孫というブランドもまとって安倍氏が登場した。安倍氏自身がどこまで自覚的だったかはともかく、拉致問題や日朝首脳会談の衝撃などもあって日本が急速に右傾化した風を受け、それを自らも煽り、一気に政界の階段を駆けのぼった。しかも約8年という長期政権を成し遂げた。

そう考えると、安倍氏は極めて運がいいというか、いまの時代に生まれるべくして生まれた、とも言えそうです。安倍政権がこれほど長く続いた理由をどう捉えますか。

対米関係に安倍政権の実態が表れる

中島　いろいろな分析の仕方はあるでしょう。最も大きいのは、野党が弱すぎるという問題です。また、さまざまな世論調査やデータを見ると、安倍元首相の右派的な価値観が広く支持されているとは思えません。

そこで考えなければならないのは、いわゆるアベノミクスという経済政策のトリックです。僕自身はそこに「成功しないことにおいてこそ成功する」という逆説があったと考えます。

青木　というと？

中島　安倍さんは第2次政権で勝ちつづけた選挙戦で、アベノミクスを常に「道半ばだ」と訴えました。いずれトリクルダウンが起きる、だから富裕層や大企業に有利な株価のつりあげや円安誘導の政策をとり、やがて庶民層にもその富がおりてくると訴えた。

実際に株価は上がったし、輸出企業が好調だった時期もありました。それを多くの庶民は見せられた。まるで馬の前にぶら下げたニンジンです。もう少ししたら自分たちにもニンジンが届くかもしれないというイリュージョン。

そしてニンジンを目の前にぶら下げられた馬がなぜ走るかといえば、ニンジンが届かないゆえに走るんです。食べられないニンジンを目指して多くの人が走らされた。

そして安倍政権には、もうひとつのニンジンがありました。日本会議に集うような人びとの目の前にぶら下げたニンジン、それが憲法改正です。安倍さんなら悲願を実現してくれるかもしれないと考え、彼らは彼らで走りつづけました。安倍さんも折にふれてそれをちらつかせ、「道半ばだ」と同じ態度をとる。もう少しで憲法が変えられるんだと。

そうして人びとの前にニンジンをぶら下げ、結局は何もしないで権力を牛耳ったのが安倍政権の実態だったと思います。

ただ、安倍さんとその政権の最大のねじれは、一方でそういった右派的イデオロギーを掲げつつ、一方ではアメリカに極度に依存した点でしょう。

彼の訴えるような歴史認識にせよ、あるいは改憲にしても、アメリカとの関係に依存すると、これは実現できない命題です。靖国参拝もアメリカから強いプレッシャーをかけられると強行できなくなってしまった。しかも安保関連法を強引に成立させたら、これで集団的自衛権が行使できるようになり、アメリカも憲法問題に関心を持たなくなってしまった。

そうなると、彼にはもはややることがない。彼の賞味期限は終わってしまう。そしてコロナ禍で本質が見事にバレてしまった。そういう政治家だったと思います。

共産党と組むしかない

青木　一方で弱すぎる野党についてもうかがっておきます。中島さんはたびたび言及されていますが、現在の選挙制度下では、いわゆる二大政党制には決してならないだろうと。

中島　ええ、なりません。94年に細川政権が成立させた現行の選挙制度だと、たしかにミニ政党は当選が難しく、ある程度は政党が収斂《しゅうれん》されていきます。たとえば公明党や共産党などは残りますが、しかし小選挙区がメインでは主流政党にはならない。つまり現行の選挙制度は疑似二大政党を目指すようなシステムで、最終的には主流政党が小政党とどう連立を組むかが焦点になります。94年にゲームのルールがそう変わったんです。

自民党はそのルールをよく理解しているから、一時は社会党やさきがけと連立を組み、連立のあり方を鍛え、それがうまくいかなくなると自自公や自公といった枠組みを作った。ところが野党側はこのゲームのルールが理解できていない。

青木　いまだに理解できていませんね。

中島　信じがたいことですが、いまだに理解できていません。新進党や希望の党の失敗なども踏まえると、もはや〝ウィズアウト共産党〟という態度が成り立たないのは明白です。野党が政権を取ろうとすれば共産党と組むしかない。ならば共産党をどう変え、連立の枠組みをどう作るか。そういう野党共闘を前に進めるしかない。

青木　実際に共産党はずいぶんと変わってきていますね。

中島　新自由主義が横行する現在、むしろ共産党の方が保守的です。農業を守れ、地方や中小企業を守れ、TPP（環太平洋パートナーシップ）協定も反対。僕はすべて同意見です。

青木　たしかに（笑）。つまり先ほどの図でいうと、共産党は「リスクの社会化＝セーフティネットの強化」を一貫して訴えている。

中島　そうです。しかも「リベラル」です。ただ共産党は、党内の決定システムがすごくパターナルなんですね。

青木　そのへんはまさに共産党的で、いわゆる民主集中制ですからね。

中島　言っていることはリベラルでも、組織の内部はパターナルなのが共産党と公明党です。こうした政党内部の改革がどう進むか。妙に一枚岩の政党って、多くの人びとは気持ち悪いと感じてしまいますから。

青木　共産党はさらに変わりますか。

中島　変わるでしょう。世代交代が進めば、確実に変わっていくと思います。

「男系」より「直系」にこだわりたい

青木　さて、話を戦後日本の保守に戻しますが、一般的に保守とされる人びとが本来最も重視するのは天皇制ですね。あらためて指摘するまでもなく、近年は天皇制と皇室をどう存続させるかが大きな課題となり、女性天皇や女系天皇を認めるかが焦点のひとつになっていて、これに右派というか、保守を自称する人びとが強く反発しています。従来の天皇制のありようを根本から歪めてしまうと。中島さんはどう考えますか。

中島　再びエドマンド・バークの言葉を引くと、彼は「Reform to conserve」と言っています。僕なりに訳すと、「保守するための改革」。大切なものを守るためには変わっていかなければ、というのがバークの思想です。

これは長くつづく老舗にも似ています。僕は大学院時代を京都で過ごしましたが、京都の老舗の店主に言われたことがあります。「私たちは江戸時代と同じ味を出しているんじゃない」と。味は常に変わっていて、戦後すぐの甘さと現在の甘さだってぜんぜん違う。けれど製法や精神は変えていない。

つまり、大切なものを守るためには変わらねばならず、時代とも呼吸しなければいけない。これはまさにバークが言わんとしたところと同じです。

天皇制も継続させていこうと考えれば、現実的な変化のなかで改革し、変えるべきは変えないといけない。ですから僕は女性天皇にも女系天皇にも賛成です。そうやって天皇制を緩やかな形で新しい時代にマッチさせていく必要がある。

青木　あえてうかがうのですが、過去に存在した女性天皇はともかく、女系天皇を容認することは、老舗店主の喩《たと》えに従えば、変えてはならない製法や精神を変えてしまうことになりませんか。少なくとも、女系天皇に反対する人びとはそう捉えているのでしょう。

中島　考えるべきは「レジティマシー（legitimacy）」、「正統性」です。仮に女性天皇も女系天皇も認めないとすると、これまで皇族ではなかった男性を皇族にして宮家を再興するしかなく、戦後は一般人とされてきた人が天皇になる可能性が出てきます。そんな人がいきなり天皇だといわれ、誰が「国民統合の象徴」として支持するでしょうか。

むしろ「男系」にこだわるより、「直系」にこだわった方がいい。子どものときから皇室の一員として見守られてきた物語は広く人びとに共有されています。もちろん皇室の人びとにとってそれは時に大変な苦痛を伴いますが、一般人がいきなり天皇になるより、その方がよほど「正統性」が担保される。そうしたことも考え、果たしてどちらが天皇制の存続につながるかを問いたいところです。

青木　僕自身は天皇制そのものに懐疑的ですが、ここでも保守思想の根源が問われるんでしょうね。先人の伝統や知見を重んじつつ、それを守るために時代の変化にどう対応していくか、あるいは自分たちの理念に固執して復古的な方向に突き進むのか。ある意味で後者は、本来の保守思想というより一種の原理主義ということになりますね。

中島　ええ、保守主義と原理主義は根本的に違います。これを保守と右翼の違いと言い換えても構わないかもしれませんが、たしかに保守も右翼も左翼の理性中心主義に疑いの眼を向ける点は同じです。ただ、保守の立場は「永遠の微調整」が必要であり、「永遠の過渡期を生きる」という考えです。

科学と人文知の関係

中島　一方、右翼や原理主義者は違う。時間のベクトルでいうと、左翼は未来に理想社会があると考え、右翼は過去に理想社会があったと考える。その理想社会がいろいろなもので汚され、元に戻さなければいけないと捉える。これがまさに大川周明らが唱えた「復古的革新」です。本来の国体や原理に回帰することこそが革新になるという概念。僕から見るとそれは保守ではありません。

ですから僕自身が長く保守思想の研究を手がけるなか、大川や北一輝らの思想をどう乗り越えていくかは重要なテーマであって、現実が柔軟に動いていくなか、永遠に完成しない世の中を手探りで補修しつづける営み、これこそが本来の保守だと僕は捉えています。

青木　なるほど。それでは最後にもうひとつ、大きなテーマについてうかがわせてください。実はこのことも聞きたくて今回は中島さんにご登場いただいたのですが、それは科学と人文知の関係についてです。

中島さんは現在、東工大で教鞭を執っています。言うまでもなく東工大は、理工系のトップエリートを育てる国立の教育機関であり、そこに政治学者の中島さんがいるのを少々奇異に感じる人もいるでしょう。しかし東工大は２０１６年に「リベラルアーツ研究教育院」を創設し、中島さんをはじめとする著名な人文系の学者を多数招聘しました。

それから6年経ち、第1期生が社会に出ていく時期を迎えたわけですが、東工大で人文知を教えることの意味をどうお感じですか。

中島 実は東工大が非常にユニークなのは、伝統的に人文系の授業に力を入れているところなんです。たとえば鶴見俊輔さん（１９２２〜２０１５年、哲学者）も東工大で哲学を教えてらっしゃいました。

青木 そうか、あの鶴見さんも東工大で教えていたんですね。

中島 そうなんです。鶴見さんは60年安保の際、日米安保条約が強行採決されたことに抗議して辞職しましたが、ほかにも政治学だと永井陽之助さん（１９２４〜２００８年、国際政治学者）もいらっしゃいましたし、永井道雄さん（１９２３〜２０００年、教育社会学者）とか、あの江藤淳さん（１９３３〜９９年、文芸評論家）も東工大で文学を教えています。そうした一匹狼的な学者が過去にもいて、理工系だからむしろ自由にやれた面がありました。

また、やはり大きな問題は最近の大学教育における人文系軽視の風潮です。「文学部などいらない」といった声が公然と飛び交い、実際に大学教育の現場でそうした傾向が強まっている最中、真逆の理工系である東工大が「いや、それは違う」と声をあげた。むしろリベラルアーツや基礎的な教養こそが大事なんだと。

なぜ東工大でそういう動きが出たかといえば、科学の最先端の学問や研究をしているからです。最先端のことをやっているからこそ、逆に彼らはよくわかっているんです。

青木　どういうことですか。

理工系の知識や技術だけでは解決しない

中島　考えてみてください。いま最先端のことも、5年後には古びます。その繰り返しをやってきた者たちだからこそ、最先端のことばかりやっても意味がないことを理解しているんです。それよりも根本的なことを考える力を若い時期につけておかないと、研究者として長く遠くに飛ぶことはできない。

ですから、学生たちに根源的なことを考える力をつけさせるのが僕たちに要請される課題です。政治とか宗教とか、あるいは人間とは何か、生命とは何か、そういった根源的なことを突きつめて考え、学ぶことが若い時期には必要だということです。

僕が学生たちによく話すことがあります。みなさんは、これまで治せなかった病気を治せたり、歩けなかった人を歩けるようにしたり、従来は実現できなかったことを実現できるかもしれない素晴らしい可能性を持っていると。

しかし、科学にはデュアルユース（両用）の問題もあって、それが戦争の道具に転用されたり、人の命を奪うことに使われる可能性もある。そのことを「楕円の思想」で考えられる人間になってほしいというのが、僕が常に強調してきていることです。

青木　ジブリ作品でいえば『風立ちぬ』（２０１３年）にも通じる科学の命題ですね。

中島　そうです。あるいは水俣病の問題を考えましょう。かつて東工大には清浦雷作氏（１９１１～９８年、応用化学者）という教員がいて、水俣病の原因として「有機アミン説」を唱えたために問題の真相解明が大幅に遅れた、という苦い過去があります。

青木　熊本の水俣湾周辺で50年代から問題化した水俣病では、かなり早い時期に新日本窒素肥料（現・チッソ）の工場が排出した水銀が原因だと指摘されたのに、東工大教授の清浦雷作が「有機アミン説」、つまり腐った魚から出る毒が原因だと唱え、原因究明が混乱してしまったんですよね。

中島　ええ。50年代終盤には熊本大の研究者たちが「チッソ工場の有機水銀が原因だ」とほぼ立証していたにもかかわらず、東工大の教員だった清浦氏は「有機アミン説」を主張し、これにチッソや政府は飛びつきました。そして世の中も熊本大と東工大を天秤にかけ、東工大に〝権威〟を見てしまった。

そういう歴史を踏まえ、僕は60年代に胎児性の水俣病患者として生まれた方々に東工大生と対話してもらいました。誤った科学で障がいを負った方々と向き合い、科学とは何か、その責任の重さを考えてほしかったからです。

青木 そういう授業やゼミに参加する学生は、東工大だから政治学専攻というわけではなく、いずれも理工系の学生なんですか。

中島 政治学をやるために大学院から入る学生もいますが、学部生などはさまざまです。たとえば修士課程の僕の教室には、遺伝子治療の研究が専門の学生もいます。遺伝子工学を学び、自ら遺伝子を操作もできるけれど、理工系の研究室ではみんな無邪気に遺伝子をいじっていて気持ち悪くなったと言うんですね。こんなことをやっていていいのかと震えが止まらなくなり、僕のところにきたと。

では遺伝子の操作はどこまで許されるのか、その基準は何かと立ち止まったとき、それを考えるのが政治だと気づく。だから遺伝子治療の研究のために政治学を学ばねばならず、両輪としてやっていく。根源的なことを考えれば考えるほど、あるいは先端的なところに立てば立つほど、理工系の知識や技術だけでは解決しないことに気づくのでしょう。

文系と理系の基礎教養が必要

青木 お話をうかがっていると、先端科学の世界も本来の保守思想のありようと通底している気がしますね。権力を持つ者がその行使に畏《おそ》れを持ち、自らが誤ちを犯す存在だと謙虚になるべきなのと同様、最先端の科学を探究する者たちもそれがどう使われるか、あるいはどう使っていくか、自らの研究が持つ政治的、哲学的な意味を常に自省する姿勢が求められる。政治が人を幸せにも不幸にもするのと同様科学もデュアルユースの危険性を常に孕《はら》み、一歩間違えば神の領域に手をつけていくことにもなる。

中島　そうなんです。まさに僕自身が考える保守思想とも連動性がある。そういう根源的な知を身につけてほしいと、それこそ僕が学生たちにずっと言ってきていることです。

青木　そうして第1期生が世に出る時期、手応えは感じてらっしゃいますか。

中島　まだよくわからないところもありますが、ただ、そういう言葉が届くのって、もっと時間がかかるんじゃないでしょうか。僕自身の経験からしても、あのときに先生が言っていたのはこういう意味だったのかと気づくのは30代、40代になってからだったりします。もし花開くとしても、もっとあとのことなのではないかという気もします。

それより東工大で僕が大変反省したのは、まったく逆のことだったりもするんです。

青木　というと？

中島　僕たちは理工系の学生に基礎教養が必要だと言いますが、逆もまた同様で、僕たちに理工系の基礎教養がなさすぎるのも問題ではないかと。

青木　たしかにおっしゃるとおりですね。原発事故やコロナ禍など、政治や社会と科学の距離が常に問われる最近だからこそ、なおのこと僕たちが理工系の基礎教養に親しむべきだと痛感させられます。

（2022年2月3日）

中島岳志　なかじま・たけし

1975年、大阪府生まれ。大阪外国語大学卒業。京都大学大学院博士課程修了。北海道大学大学院准教授を経て、東京工業大学リベラルアーツ研究教育院教授。学術博士（地域研究）。専攻は南アジア地域研究、近代日本政治思想。2005年『中村屋のボース』（白水社）で大佛次郎論壇賞、アジア・太平洋賞大賞を受賞。主な著書に『ナショナリズムと宗教』（春風社）、『パール判事』（白水社）、『秋葉原事件』（朝日新聞出版）、『「リベラル保守」宣言』（新潮社）、『血盟団事件』（文藝春秋）、『岩波茂雄』（岩波書店）、『アジア主義』（潮出版社）、『下中彌三郎』（平凡社）、『自民党 価値とリスクのマトリクス』（スタンド・ブックス）、『石原慎太郎　作家はなぜ政治家になったか』（NHK出版）、『思いがけず利他』（ミシマ社）、『いのちの政治学』（共著、集英社クリエイティブ）など。

第3章

松尾貴史

批評性のある面白おかしい芸能へ

あれはもうずいぶん前のこと、松尾貴史さんと初めて会ったのは、私もコメンテーターを務めていたテレビの情報番組でのことだった。その番組には松尾さんもレギュラー出演していて、ニュースを扱う番組に芸人やタレントが大挙出演している昨今のテレビ状況に批判的な私も、松尾さんについては稀有な存在として認めざるをえなかった。

いや、他のタレントコメンテーターと安易に比較すること自体、松尾さんに失礼だろう。そうした者たちにありがちな感情論や素人談義には断じて陥らず、体制や大勢にも流されず、凡百の専門家やメディア人が時の体制や大勢におもねって口を閉ざしても、指摘すべきことは果敢に指摘する松尾さんに、私はしばしば敬意の念を抱いてきた。

以後、酒席などでも時おりご一緒し、松尾さんお得意のモノマネ芸に笑わされたり、見事な手品を突如披露されて感心したり、熱の入った演劇論や舞台論に耳を傾けたり、この人はやはり根っからの芸人さんなのだと認識させられつつ、それにとどまらないアンテナをさまざま張りめぐらせて思索を重ねてきたことも知った。

そのほんの一端は、インタビュー本編でも十分に感じられるだろう。と同時に、芸能とかエンターテインメントとは本来どういうものであり、どうあるべきかにも話題は及び、松尾さんの発言に私は幾度も頷いた。ご存知の通り現在、巨大芸能事務所の創業者による未曽有の性加害が大きな社会問題となっていて、本インタビューはそのはるか以前に行われたから直接的な言及はないが、問題の深層に横たわるこの国の芸能やエンターテインメント界の歪みについても示唆に富むメッセージが数々散りばめられているはずだ。

青木理（以下青木）　ごぶさたしています。松尾さんは最近、毎日新聞の日曜版で続けている連載コラムなどをまとめた『違和感のススメ』（毎日新聞出版）を出版したばかりですね。僕は日曜版の紙面で拝読しているのですが、政治や社会問題にも真正面から切り込み、時に果敢な政権批判もいとわない姿勢にいつも感心しています。そういうタレントというか、コメディアンというか、芸人さんは最近、日本では非常に珍しいですね。

松尾貴史（以下松尾）　僕、我慢ができないので。きっと前頭葉が弱いんでしょうね（笑）。5歳児みたいに、変だなと思ったら口に出しちゃう体質がある（笑）。

　もう20年以上前の話ですが、昼間のワイドショー番組に出演していたとき、ある俳優さんの豪邸が完成したという話題を取り上げていたことがありましてね。リポーターが最寄駅も地域名も紹介したうえで「ここにこんな豪邸がっ！」なんて紹介するんですよ。もう個人情報丸出しで（笑）。

青木　（笑）。いまならちょっと考えられないですね。

松尾　しかもその俳優さんの家を突撃取材して、ピンポンしたら寝癖にパジャマ姿で出てきてくれて。本当に予期していない感じだったから、いわゆるヤラセじゃないのはわかるんですが、家を探し歩いている場面では路面が濡れていたんです。

青木　つまり雨が降っていたと。

松尾　ところが俳優さんの家にたどりついた場面では路面が乾いている。俳優さんも、朝日が眩しそうにしながら対応している。ということは、俳優さんの家を訪ねたら出てきてくれたから、家を探すプロセスは後づけで撮影したんですね。僕はそれに気づいちゃったから、「後づけで探すふりをしたでしょ」って番組で言っちゃって、スタッフと喧嘩になって番組を降りちゃった（笑）。そんなこともありました。

青木　思ったことを言わずにいられないのは性来のものだと（笑）。

ただ、日本の芸能界、さまざまな分野の芸能活動に関わっている人たちは、自分の政治的信念などについての発言を避ける傾向が明らかに強いですね。

松尾　そうですね。「同調圧力」というのは便利な言葉で、これで説明できる部分もあるんですが、それとは別に、芸能分野のビジネススタイルの因習も背景に横たわっている気がします。

青木　というと？

率直にものが言いにくくなってしまう

松尾　たとえば江戸時代の、おそらくは芸者の置屋からきているような気もするんですが、「置屋はんに迷惑かけたらあきまへん」「旦那衆に迷惑かけたらあきまへん」という世界。置屋や旦那衆に迷惑をかけないよう、行く先々の水に合わせなければならず、だから当たり障りのないような振る舞いをする。

日本の芸能界の場合、大きな芸能事務所が芸人を雇って派遣するという形が長く続いてきましたね。いわば芸人の元締めのような形で芸能プロダクションが存在する。そうすると、多くの人気者を抱える芸能プロダクションとしては、さまざまな企業や団体との利害なども考えるようになってくる。僕が所属する事務所はどちらかというと自由に発言させてくれる事務所だと思いますが、誰かが批評的、批判的なことをすると、同じ事務所にいる他の人たちに迷惑がかかるということもあって、なかなか率直にものが言いにくくなってしまう。

一方、欧米の芸能界はどうかというと、たとえばスティングだとかマドンナとか、ショーン・ペン、レディー・ガガ、ジョージ・クルーニーにしても、エルトン・ジョンにしても、そういう人たちがなぜハッキリとものを言う活動ができるかといえば、彼ら、彼女らがエージェントを雇っているからです。自分が自分のエージェントを選んで雇っている。しかも、ポジションや発言力、発信力が押しも押されもせぬ立場になれば、発言したことがきちんと取り上げられてニュースにもなる。

それに欧米では、宮廷道化師のような存在も歴史的にありました。その道化師だけは王様に失礼なことをしても許される。そういう存在が日本にはたぶんなかったんじゃないでしょうか。力の強い人に対してものが言えないという風潮がものすごく強い。

青木　でも、さまざまな分野の芸能はもちろん、お笑いというのはそもそもが反権力的なものでしょう。力の強い者や偉そうにしている者たちに茶々を入れ、笑い飛ばし、庶民の溜飲を下げることで生きていくのが本来の意味での芸人ではないんですか。

松尾　かつての川上音二郎（俳優、興行師。1864～1911。自由民権論を鼓吹《こすい》し、政治や世相を風刺する「オッペケペ節」などで大人気を博した）のように、反権力的な、あるいは批判的、批評的な表現をする人たちもいましたが、川上音二郎だって「演説じゃなくて演歌ですから」と言い張って偉い人を揶揄《やゆ》していた。どちらかというと隙間産業的ですよね。もちろん、歌舞伎役者なんていうのはそもそも……。

青木　かぶき者ですからね。

松尾　そう。最近の放送では言いにくくなった言葉ですが、昔の言葉で「河原乞食」（近世初期の歌舞伎が京都の四条河原で興行したことから歌舞伎役者らを卑しめて使われた言葉）のような言い方も、山城新伍さんなどは自嘲的にハッキリ公言していましたけどね。

寄席芸にしたって、庶民が大笑いして拍手喝采するのが基本ですから、江戸時代の落語には侍を笑い物にする演目がすごくたくさんあるんです。最終的には侍がうろたえながらも庶民に大金を与えてめでたしめでたし、みたいな話も多いんですが、毎日つましく暮らしている庶民が贅沢している権力者の鼻をちょっとあかせるところにカタルシスがあって、そういう芸能ネタがたくさん作られたんでしょう。

しかし、最近は寄席でも政治家のモノマネをする人は少ない。テレビもほとんどやらないですね。

青木　それがいったいなぜなのか。果たして芸能事務所のありようだけが問題なのか。誤解をおそれずに言えば、ちょっと前までの芸能界は、いわゆるアウトロー、ヤクザの世界とも表裏一体だったわけですね。興行の世界ですから、芸能事務所にせよ、芸能人にせよ、裏社会とかなり密接に結びついていた面はありました。

松尾　コンプライアンス（法令遵守）の嵐も大きな原因になっているんでしょう。僕自身はもちろんコンプライアンスを大事なものだと思いますし、一定の社会秩序が必要だという考えに異論はありません。芸能の世界が反社会的勢力の資金源になったり、手を貸したりすることがあってはならないと思います。

ただ、ものすごく口はばったい言い方をすると、失点のない人ばかりが集まった芸能ってなんなのか、それで楽しいのか、という気もするんです。どこかが大きく欠けていて、ものすごくいびつだけど、ここだけは突出しているというのを見て、多くの人がオーッというのが本当の芸能の姿だと僕は思うんです。

かつてはそういうのをまだ認める空気があったから、パンツの中からコカインが出てきて「もうパンツは穿かない」なんて言ったりしても、とりあえずはその人の芸だけは許容するという空気が、まだ僕らが若いころにはありました。

でも、そういう空気もすっかり薄れ、誰かが池に一度落ちると、みんなが石を持って徹底的に叩きのめすというような状況になってしまっている。

青木　最近は薬物犯罪で人気ミュージシャンが逮捕され、猛烈に叩かれたあげく、過去の作品まで出荷停止にされてしまう有様ですからね。

松尾　ええ。それに薬物犯罪に関して言えば、池に落ちちゃった人も被害者だと解釈できなくもないですよね。違法な薬物自体が本当の悪なのであって、それに手を出してしまったのは、違法行為だとはいえ、罠にかかってしまった被害者と言えなくもない。

もちろん違法な行為に相応する刑事罰を受ける必要はあります。でも、その人の作品や人格までを貶《おとし》めてしまっていいのか。刑事的な処分を受け、民事的な責任を負わされたうえ、徹底した社会的制裁まで加えられてしまうわけです。そこまで完膚なきまでにやられるべきなのか。もしそうしたものが本当に求められるとするなら、それは政治家とか権力者といった人びとではないのか。なのに政治家や権力者の不正や疑惑は大して追及もされないまま不問に付されてしまっている、そういうパラドクスを最近すごく強く感じますよ。

青木　まったく同感です。

松尾　いわば、誰もが叩きやすいものを叩いて溜飲を下げるという風潮の背後にある閉塞感。ほかに鬱憤ばらしをする場がないから、誰かが少し道を踏み外したら寄ってたかって叩きのめすという気持ち悪いムード。もともとこの国にはそういう面があったのかもしれません。たとえば関東大震災の際の朝鮮人虐殺とか、誰もが善良な市民の顔をして普段生きているけれど、誰もがそういう負の側面も持っている。最近は匿名のネット上で誰かを叩いたり、デマを拡散して溜飲を下げてみたり……。

どうなんですかね、システムの方が先に行ってしまっていて、人間の邪悪な部分が拡散されることへの対策が追いつかないまま、奇妙な社会の空気……空気という言葉も実はあまり好きじゃないんですが、そういうものが蔓延している気がしますね。

関西のテレビがひとつの要因かも

青木　先ほどの松尾さんのお話にもすごく納得したんですが、芸能の世界というのは、ある部分はものすごく欠損しているけれど、ある部分がものすごく突出している人がいて、その突出している部分の芸に多くの人が驚いたり感動したり、あるいは笑ったりするんだと。そういうものを芸と呼ぶのだとすれば、最近はむしろ普通であることがもてはやされていませんか。

たとえばＡＫＢ48のようなアイドルグループは、ごく普通の女の子たちを寄せ集め、失礼ながら歌も踊りもさほどうまいわけではないのに、それが「国民的アイドル」などと大人気らしい。芸能の世界のありようそのものが変わってきた面はありませんか。

松尾　そうかもしれません。昔は芸能人のことを「玄人」と呼びましたが、最近はあまりそういう言い方をしないでしょう。玄人と素人の境目がなくなってきている。実際、芸があるのかないのかわからないのに、いろいろな職業の人が「タレント」と呼ばれるようになっています。

先日、何かのテレビ番組を見ていたら、議員辞職した男性が「タレント」として出ているんです。ご本人がそう名乗っているかどうか知りませんが、字幕では「タレント」が肩書きになっている。もちろん、厳密な定義なんてありませんから、テレビに出て喋ってお金を稼いだら、それは「タレント」と呼んでもいいのかもしれません。でも、昔はタレント、芸人と言ったら、本当にギリギリのところで、背水の陣で芸を人に見せるという、後には引けないという感じがムードとしてはあったと思うんです。それがいまは希薄ですよね。

青木 なぜそうなってきてしまったとお考えですか。

松尾 定かなことはわかりませんが、関西のテレビがひとつの要因かもしれません。

青木 というと?

松尾 関西のテレビ局は制作予算が少ないですから、アイデアを先行させて、素人を出演させて瞬間だけ面白いことをさせたんですね。2種類以上の芸があるわけではないけれど、ひとつだけ面白いことを引っさげている素人を集めて番組を作った。

それ以外にも、たとえば素人さん同士に愛の告白をさせるとか、集団お見合い的な番組であったり、素人を題材にして笑わせるというのは、たぶん関西のテレビ局がはじめたことだと思います。それが予算をかけなくても面白いということでパーッと盛り上がって全国的に広がっていった。

青木 それはいつごろのムーブメントですか。

松尾 もう40年以上前ですね。特に素人参加型の番組は関西のテレビ局が先行したと思います。「プロポーズ大作戦」とか「ラブアタック!」「新婚さんいらっしゃい!」「パンチDEデート」などもそう。そうやって素人を題材にすると面白いよねということを、関東をはじめとする全国の人も感じるようになって、予算をかけなくても面白くできると。

アイドルもそうなんじゃないですか。本来はアイドルって「偶像」ですから、手の届かないところにいるもののはずなんですが、「会いに行ける」というのがコンセプトになる世の中になった。やはり玄人と素人のボーダーがなくなってしまったのは大きな問題だと僕も感じます。

質のいいものに視聴率が集まるわけではない

青木　そう考えると、テレビの力はやはり大きかったということでしょうね。もちろんテレビにも功罪両面あったでしょうが、要するに芸能の世界のありようを変える大きな原因はテレビにあったと。

松尾　そうかもしれません。テレビって、影響力が大きすぎたんですね。全国ネットの番組で視聴率が高ければ、いっぺんに2000万から3000万もの人が見てしまう。そしてテレビの世界というのは、水が低きに流れるようなところがありましてね。レベルの低いことをやると視聴率が取れてしまうところもある。僕はテレビで仕事をさせてもらっているので、テレビの悪口はあまり言わないんですが、テレビを見るのをやめたっていう人たちの話を聞くと、やっぱりそういう辛辣《しんらつ》な話が出てきますよね。

青木　僕もテレビの情報番組などに出演しつつ、実はテレビの世界はあまり詳しくないのですが、やはり水が低きに流れてしまう傾向は強いものですか。

松尾　残念ながらそういう面はあると思います。だって、女性の裸を出せば視聴率が上がるでしょう。スケベなおっさんが何割かは確実にいるわけですから。

少し前の話ですが、全国各地からの中継を結ぶ朝の情報番組の司会を僕がした際、沖縄の放送局からヘビのアップを延々映されたんですね。すると副調整室からディレクターの怒鳴り声が聞こえてくるんですよ。フロアディレクターのインカムを通して猛烈に怒鳴っているわけです。「早く映像を切り替えろっ！」、「ヘビのアップなんか朝から誰が見たがるんだっ！」って。

ところが次の日に視聴率が出てきたら、その部分の数字がドーンと上がっていた。やっぱり「えっ⁉」っていうもの、「何だこれは⁉」っていうもの、目をみはってしまうものを、多くの人が見てしまう。ショッキングだったり、暴力的だったり、これはいかんと思いつつ、そういうものがとりあえず視聴率を取ってしまうことがある。

だから低きに流れるというのは言い過ぎかもしれませんが、質のいいものに視聴率が集まるわけではないとは言える世界だと思います。

青木　実を言うと僕は現在、あるテレビマンの評伝を書くために取材していて、かつてのテレビ界についてもいろいろ調べたんです。最近でこそテレビは巨大な影響を持つ主要メディアのひとつで、局員は一流大学の出身者ばかりですが、かつて傍流の新興メディアだった時代には作家崩れや映画志望者崩れ、あるいは学生運動出身者などの寄せ集め集団が番組を作っていた。

だから逆に妙なエネルギーというか、混沌の中からお化け番組なども登場したように感じるんです。もちろん現在のテレビマンだって、それなりに志のある人たちもいます。視聴率至上主義なのはテレビの現実、ある意味では宿命ですが、その視聴率と志のバランスをなんとか取ろうとしている制作者もいますね。

松尾　ええ、います。ただ、確かに昔ははみ出し者のような人たちがたくさんいたけれど、心意気のようなものは非常に強かったようにも思うんです。言葉あそびかもしれないけれど、心意気から志に移ったっていうのかな……。

昔の人は本当に乱暴で、プロデューサーやディレクターにもヤクザみたいな人がたくさんいて、動物的な直感で「この芸人を使いたい」と言い出して強引に番組を作り、実際にその番組も芸人も大化けするなんてことがたくさんあった。最近は「この芸人を使って視聴率が出たから、次の番組も彼を使って作ろう」なんていう前例主義が強まっている。自分で自分の首をゆっくり絞めているような気がするんですね。

青木　かつてのテレビ界とはやはり変わりましたか。

松尾　そう思います。かつてテレビで大活躍していた、たとえば出演者と裏方を兼ねていたような人たちって、永六輔さんとか大橋巨泉さん、前田武彦さん、野坂昭如さん、井上ひさしさん、青島幸男さん、小沢昭一さんとか……。表現的には下品なことをしたり、いろいろ問題もあったけれど、本当に素敵な面々ばかりですよね。最近は長いものに巻かれるっていう感じの人が多くなったんじゃないかと、先輩たちのことを考えると、そう思ってしまいますよね。

笑いの中には「緊張と緩和の同居」がある

青木　かつてとの比較で言えば、テレビで政治風刺というか、政治家の風刺が昔はありましたよね。田中角栄の「まぁそのー」とか、大平正芳の「あー、うー」とか。

松尾　みんなやってましたよね。子どもも真似をして。

青木　松尾さんもそのおひとりですが、最近は政治家風刺をテレビで見なくなってしまいました。なぜですか。

松尾　これも本当のところはわかりませんが、僕もあるテレビ局で安倍晋三さんのモノマネをしたことがあるんです。まだ政権に復帰する前、自民党総裁選に出馬したころのことです。

　そうしたら、そのテレビ局に苦情の電話が、まるで誰かが号令をかけたように大挙して押し寄せたらしいんですね。で、「次回からは結構です」と言われてしまった。ひょっとしたら誰かに雇われたアルバイトなのか、あるいは義憤に駆られた人たちが同時多発的に電話をかけたのかは知りませんが、そんなふうにプレッシャーめいたことが起きるようになったのが一因かもしれません。

青木　でも、政治風刺は大切な芸能文化の一分野でしょう。なんでもかんでもアメリカがいいなんて思いませんが、たとえばＮＢＣの「サタデー・ナイト・ライブ」なんて、トランプ大統領の辛辣な風刺をしょっちゅうやっています。

松尾　メリル・ストリープが扮装までしてトランプのモノマネをしたりね。要するに、笑いというものは不謹慎なものなんです。でも、最近の日本では逆に「不謹慎なことはやめなさい」と言われてしまう。

日本で皇族のモノマネをする芸人ってほとんどいないでしょう。少なくともテレビでは皆無です。でも、イギリスでは昔から「空飛ぶモンティ・パイソン」（イギリスを代表するコメディ番組）なんかが女王のパロディを平気でやったりしています。そのあたり、いったいいつからのものなのか、日本の場合は権威の質が他の国と違う構造に組み立てられているんじゃないかという気もします。

青木　確かにそうかもしれません。特に皇室については、日本の場合はかなり特殊というか、近代以降に神格化された影響が大きいと思いますが、茶化すどころか批評することすら許さないというタブー感に現在も支配されています。

ただ、それが政治家にまで広がるのはあまりに病的でしょう。権威や権力を茶化して笑い飛ばすのは極めて健全な庶民文化、芸能文化の根幹です。

松尾　ええ。そういえば、「緊張と緩和の同居こそが笑いである」という分析をしたのが桂枝雀さんでした。

青木　１９９９年に亡くなった2代目の桂枝雀さんですか。

松尾　そうです。昔からアンリ・ベルグソン（フランスの哲学者、１８５９～１９４１）といった哲学者や心理学者が「笑いの構造とは何か」を分析してきましたが、僕は枝雀師匠の分析が一番優れていると思っているんです。「緊張と緩和の同居」。

緊張といっても命の危険にさらされているような緊張感ではなく、鑑賞する側が絶対安全地帯にいるというような前提はあるんですが、わかりやすいのは目隠しです。後ろから「だーれだ？」と言って目を隠す。目隠しされた方には緊張感が一瞬あるけど、「なんとかちゃん？」と応じ、「当たり！」って言って笑いが生じる。「おやっ？」と思わせて、「なんだ、そういうことか」と落ちた瞬間に笑いが起きる。

政治家のモノマネで言えば、偉い人というのは緊張の材料で、それを茶化すのは、その人に決定的で致命的なダメージを与えるのでなければ、緩和が生じて笑いが生まれる。ダジャレにしたって、違う言葉なのに似たような響きがあるって、これも緊張と緩和の同居です。ありとあらゆる笑いの中に「緊張と緩和の同居」があると。

青木　なるほど。お話を聞いて思ったんですが、言ってはいけないと思われていることを言うのも、ある種の笑いになるということが古くからありますね。それが健全な方向に作用すれば、偉い人を風刺するという笑いになる一方、逆にさまざまな差別的な発言も「緊張と緩和の同居」を生み出しかねません。

松尾　そうなんです。たとえばテレビなどでは言えないことがあるという緊張感。そうすると、放送コードギリギリだという線で笑いを誘う人も出てきます。

わかりやすく言えば、優等生が「ダメだよ、ダメだよ」って止めるような緊張感が漂う中、言ってはいけないギリギリのことを言って「オレは言っちゃったぜ」「セーフ、セーフ」とか言いながら笑いを誘う。マイノリティの人たちだったり、生活保護を受けている人、そういう方々への差別的な、質の悪い笑いになりかねない面があるのも事実ですよね。

強い者に歯向かう発言は批判されてしまう

青木 それにしても最近、僕は不思議で仕方ないんですが、政治風刺や政権批判をする芸人さんがわずかながらもいて、特に注目されたのはウーマンラッシュアワーの村本大輔さんあたりでしょうか。ところが、彼は猛烈な批判やバッシングを浴びてしまっているらしいですね。広い意味で政治的な発言ということで言えば、情報番組の司会やコメンテーターをしている芸人やタレントはたくさんいるし、首相をゲストに招いたお笑い番組まであるというのに、そうしたケースでは大した批判が起こらない。

松尾 要するに、強い者の味方をする発言は許されるんです。逆に、強い者に歯向かうような発言は批判されてしまう（笑）。

青木 確かにそうですが、それもあまりに病的な話です。

松尾 しかも、芸人の世界以外でも「音楽に政治を持ち込むな」なんていう声まであるでしょう。これもおかしな話であって、そもそも音楽ってどうやって発展してきたかと言えば、原始的なところでは獲物が捕れたぞというサインで太鼓を叩いたかもしれないし、雨乞いのために歌って踊ったかもしれないけれど、近代ではみんなの平和を願うとか、虐げられた人たちの叫びを代弁するとか、そういう名曲がいくつも作られてきたわけでしょう。

青木　そうですね。あらためて語るまでもありませんが、たとえばロックにしてもジャズにしても、そこには黒人の抵抗運動などの歴史が色濃く刻み込まれていて、もともとは反権力的な色あいが濃い芸術、芸能の一分野です。

松尾　そして反権威。そういうことを考えれば、「音楽に政治を持ち込むな」なんていかに的外れかわかると思うんですけどね。

青木　でも、音楽にしても芸人にしても、日本ではそういう気風が極度に弱まっている。

松尾　ええ、健全じゃありません。最近の日本は、水の入った瓶の上澄みだけを見て「きれいだね」ってみんなが言って必死にはしゃいでいるけど、実は違うんじゃないでしょうか。下の方には淀んだものが、まるで澱《おり》のようにものすごく溜まってる気がします。

青木　そういう中で松尾さんは果敢に問題提起しているわけです。こういう物言いをすること自体が良くないんでしょうが、芸能の世界にいながら今回の時評集のようなものを出していたら、いろいろ損をしてしまっているんじゃないですか。

松尾　そうですね。収入で言えば、たぶん半分くらいになっているかもしれませんが、子ども世代が戦争でひどい目に遭うかもしれないとか、そういう可能性を考えれば、いま受けているストレスなんてケタ違いに小さいんじゃないですか。

青木　この連載で少し前にお目にかかった作家の中村文則さんは、社会的な発言をする理由についてこうおっしゃっていました。現状に強い危機意識を抱いているのに発言をしない作家の作品なんて面白いのかと、そう思ってしまうんだと。

松尾　なるほど。ただ作家さんの場合、もちろん出版社が間に入ってはいますが、基本的には「B to C」ですよね。つまりは「ビジネス・トゥー・カスタマー」。作品の受け手である読者と割合に直結している。

でも僕らの場合、テレビで仕事をする際は「B to B」の傾向が強いんです。つまり、テレビ局がどう判断するかをおっかなびっくり見ていなければならない。無料でテレビを見ている人たちがいて、その代わりにCMを見せることでなんとなく「B to B」の形で成立しているのがタレントの世界。一方、僕の場合は芝居を観にきてくれたり、ライブでやっている演芸を観にきてくださる方もいて、そういう場面では「B to C」なんですよね。

青木　すると、もちろんテレビでの仕事も大切でしょうけど、俳優としても芸人としても、やはり舞台での芝居やライブのやり甲斐は非常に大きいと。

松尾　ええ。両者がどれくらい違うかと言うと、テレビの場合は飲んだり食べたり、あるいは家のことをしながら、子どもの相手なんかをしながら、ボヤッと見ている人も多い。

でも、舞台や寄席に足を運んでくれる人って、わざわざ予約をして、仕事の都合をつけて足を運び、お金を払って、観ている間は客席に座り、食べたいものもトイレも我慢してくれている。面白ければちゃんと笑って、拍手をして、応援もしてくれる。ありがたさのケタが比べるまでもないんです。

だから１００人の小屋に５人しかお客さんがいなくても、ありがたいと思って、その人たちのために楽しんでもらおうと全力を尽くすのが芸人の精神構造としては健全だと僕は思っています。タレント同士で集まると、どこそこの事務所はどうでテレビ局の人事はどうだなんていう業界話になることがあるんですが、僕はそういう話に一切関わらない。興味がないので。

きちんと批評性のあるものを、時には面白おかしく作る

青木　そういえば、インターネットというツールを松尾さんはどう捉えていますか。僕はＳＮＳなどを一切やらないのですが、うまく使いこなして情報発信したり、最近はネット発のタレントや芸人も出てきていますね。

松尾　僕も宣伝のためにツイッターは使いますし、近い人たちとの情報交換にフェイスブックを使い、自分の備忘録的な感じでインスタグラムは使ってますが、まあ桜田義孝さん（前五輪担当相）よりはちょっとやってるくらいです（笑）。

それでも長くやってると、ツイッターは16万９０００人ぐらいフォローしてくださっていて、時には変な絡み方をされたりすることもあります。

青木　やっぱり絡まれますか。

松尾　一斉にきます。それこそ誰かが号令を出したのかというくらい、似たようなレトリック

で一斉にワーッとくるので、僕はどんどんブロックしていくんです。すると「あいつはチキンだ」「すぐにブロックしやがる」って言われるけど、汚いものを見たくはないでしょう。家の前で変なことをやってるヤツがいたら、窓を閉めてカーテンを閉める、それだけのこと。匿名で誹謗中傷してくるような連中の戯言《ざれごと》を見ないためにはブロックが一番。

青木　しかし、なんだか組織の影を感じますよね（笑）。

松尾　それこそ官房機密費から資金が出てるんじゃないですか（笑）。一方、そういう連中を果敢に批判してくれる人たちって、おかしなことに気づいている賢い人たちなんです。でも、賢い人たちは書くことも真面目だから、多くのお客さんを集められない（笑）。なぜ宗教に人気があって、哲学に人気がないかといえば、哲学って難しいからです。

ところが宗教にはお祭りがあったり、悩みや欲望を受け入れてくれたりするから、そちらの方に多くの人たちがワーッと集まる。「新元号は令和だ」と言ったらみんなワーッとお祭り騒ぎして、政権の支持率も跳ね上がっちゃうというのに似ていて、きちんと哲学を勉強している人たちの指摘って人気がないんですよ。

だから一番大切なのは、きちんと批評性のあるものを、時には面白おかしく作ること。そういう才能のある放送作家だとか、パロディに達者な人たちを集めて情報発信する拠点を作る必要があるかもしれません。ただ、そういう賢い人たちって、賢いから仲間割れをしやすいところもあって（笑）。

青木　確かに（笑）。

松尾　政治の世界だって、政権とか与党っていうのは権力と金を持っているから、放っておいてもたくさんの人が自然に群がるわけでしょう。一方、批判する側はみんな正しい批判をしているんだけど、誰もが自分は正しいと思っているから、そのうちにだんだん仲間割れを起こして、力が分散してしまう。最近の選挙の結果ってそういうことでしょう。

青木　しかも真面目な人は、かぶき者になることもできない。

松尾　そう（笑）。だから、せやろがいおじさん（沖縄などで活動するお笑いタレント。社会風刺などを織り込んだユーチューブでの動画が人気）みたいな人が、もっとたくさん現れるといいんでしょうけれどね。

（2019年4月15日）

松尾貴史　まつお・たかし
1960年、兵庫県生まれ。大阪芸術大学芸術学部デザイン学科卒業。俳優、タレント、ナレーター、コラムニスト、〝折り顔〟作家など、幅広い分野で活躍。東京・下北沢にあるカレー店「般若（パンニャ）」店主。著書に『ORIGAO折り顔』（古舘プロジェクト）、『違和感ワンダーランド』『人は違和感が9割』（毎日新聞出版）など多数。

第4章 国谷裕子×権力に対峙するジャーナリズム

ＮＨＫの「クローズアップ現代」で長くキャスターを務めた国谷裕子さんは、ここであらためて詳しく紹介する必要もないだろう。「クロ現」のメインキャスターに就いたのは１９９３年。その少し前に駆け出し記者としてメディア業界へ足を踏み入れた私自身、いち視聴者として国谷「クロ現」に日々接し、メディアやジャーナリズムの仕事と真摯に向きあう先輩として敬意も抱いてきた。

これもあらためて記すまでもなく、キャスターとしての国谷さんは常に冷静かつ適確に番組を進行し、激したり小細工を弄したりすることなど一切なく、しかし指摘すべきことは果敢に指摘し、ＮＨＫの看板報道番組を長く仕切ってきた。とかく体制や大勢に流されがちなこの国のメディア界で――残念ながら、特にその傾向が強いように思われるＮＨＫという〝公共放送〟にあって、国谷さんの存在とその凛とした姿勢、発言に私も鼓舞され、いわばこの国のテレビジャーナリズムにおける一個の良心でもあったように思う。

その国谷さんが「クロ現」キャスターを降板したのは２０１６年３月。同じ時期、民放各局の報道番組でもキャスターやコメンテーターの降板が相次ぎ、意に沿わぬメディアを露骨に恫喝していた「一強」政権の影響ではないかと盛んに囁かれた。

その真相の一端を、このインタビューで国谷さんは明かしている。と同時に、それは決して個々の報道番組やテレビメディアの問題にとどまらず、メディアやジャーナリズムとは本来どうあるべきなのか、メディアやジャーナリズムがその役割を果たさなければ政治や社会はどうなってしまうか、国谷さんの発言から私たちが読みとるべき教訓は多い。

青木理（以下青木）　はじめまして。国谷さんにはぜひ一度お目にかかりたいと思っていました。今回はコロナ禍の緊急事態宣言中に加え、国谷さんが東京を離れているということでリモートになってしまいましたが、お話をうかがえるのが楽しみです。

国谷裕子（以下国谷）　こちらこそ。青木さんはいつもテレビで拝見していますから。

青木　いえいえ（笑）、テレビで国谷さんをずっと拝見してきたのはもちろん僕の方ですよ。NHKの看板報道番組のキャスターを長年務めるのは大変だったと思いますが、20年以上になるんですね。

国谷　23年間ですね。

青木　その「クローズアップ現代」を離れてもう5年近くなりますか。

国谷　ええ。ちょうど5年になります。

青木　いかがですか。コロナ禍ということもありますが、テレビの最前線から少し離れた立場になられ、現在のテレビをはじめとするメディア状況を眺めていて、どんなことを感じられていますか。

国谷　やはりプロフェッショナルによって提供される情報がますます重要になっているという気がします。

すべてが曖昧で、何を目指しているかが見えない

国谷　というのも、現在はＳＮＳなども発達して、さまざまな個人が発信する情報も爆発的に増えていますが、いったいどの情報を信用したらいいのか、コロナ禍という状況のなかで自分が何を考え、どう行動したらいいのか、最終的にはやはりプロフェッショナルなメディアの情報に頼らざるをえません。

一方で現在の日本のコロナ対策をみると、状況はどんどん悪化しています。その原因、コロナ対策がうまくいっていない原因や理由といったものはどこにあるのか。政府や自治体がこういう対策を行うという情報はあっても、本当にそれが遂行されたのかどうか、あとからのフォローや検証が十分になされているようには思えません。

たとえばワクチンですが、当初の予定だと医療従事者の方々への接種はもう終わっているはずです。しかし、ようやく今週になって医療従事者向けワクチンの配送が終わるという段階にとどまっています。また、日本のワクチン接種率は高齢者でさえ１％にも満たないわけです。

青木　たしかに２０２１年４月末時点での接種状況をみると、人口１００人あたりの日本のワクチン接種回数はわずか3回にも満たず、イスラエルの１２１回とか英国の71回などに遠く及ばないばかりか、先進国クラブと呼ばれるＯＥＣＤ（経済協力開発機構）でも最下位の体たらくで、全世界的にも最低レベルに甘んじています。

国谷　そんななかで7月末までに全高齢者への接種を終えると政府は宣言し、そのために1日100万回の接種を実行すると言っています。でも、果たして何を根拠にそう言っているのでしょうか。本当に実行可能な政策として言っているのか、それとも単に希望的な観測で言っているのか。そういったことがひとつひとつきちんと詰めて報道されているか、メディアがきちんと問うているか、私は強い疑問を感じるんです。

3回目となる緊急事態宣言にしても政府は当初、約2週間という期限を区切って「短期集中的な対策をとる」と強調していましたね。でも、予想どおりに延長されましたね。その際に首相は「人流は抑えられた」と胸を張りましたが、現実には感染がいっこうに収束しておらず、むしろ拡大傾向を示しています。ですが宣言延長に伴って多くの人びとが集まる商業施設は営業を再開し、スポーツイベントの観客も拡大するという。人流を抑える必要があると訴えているのに、それとは矛盾する施策も出てくる。

経済との両立ということなのかもしれませんが、政府はいったい何をプライオリティ（優先事項）にして政策をとっているのか、すべてが曖昧で、何を目指しているのかがまったく見えてこない。しかも東京オリンピックまであと2か月です。これもいったい何を根拠として開催するのか、あるいは中止するのか、いろいろなことがすべて曖昧なまま日々が過ぎ、感染だけは拡大している状況のなかで、1人の生活者として、メディアがそうしたことをきちんと問うているのだろうかというフラストレーションが溜まります。

記者会見でのメディアの役割

青木　つまり、メディアの大きな役割のひとつである権力監視というか、時の政府や政治に対するチェック機能をメディアがきちんと働かせているようには感じられないと。

国谷　たとえば首相の記者会見などを見ていても、それぞれの記者の質問が基本的にひとつに限られ、一方通行で終わってしまう。これはメディアだけのせいではないのかもしれませんが、仮に官邸の記者会見のシステムだとしても、ある社の記者が質問を発し、それが大事な問題ならば別の社の記者がフォローして二の矢、三の矢を放つべきでしょう。

しかもコロナ禍のいま問われているのは命に関する問題です。感染をどうやって抑え、１人でも多くの方の命をどうやって守るのか。大変深刻な社会状況ですから、本来はメディアが一丸となって、時には連携をとりながら、お互いにフォローアップもしながら、曖昧さを残さないで政府にきちんと問うべきです。そして科学者や医療関係者はこう言っているけれど、そのなかで政府としてはこういう判断を下すのだという言質《げんち》を、きちんと引き出してほしいと思うんです。

その点、アメリカのホワイトハウスの記者会見などは違いますよね。私はアメリカ暮らしが長かったので少し毒されているところもありますが、ホワイトハウスでの記者会見はメディアが互いにフォローアップするところがもっとあります。

青木　たしかにそうですね。ホワイトハウスの会見では記者たちが遠慮会釈なく突っ込み、大統領や報道官と丁々発止のやりとりを日々繰り広げています。質問がひとつに限られ、その内容も事前通告されることが多い官邸会見などとまったく対照的です。しかも首相の回答はあらかじめ準備した文章を読みあげるだけだったりして。

国谷　結果として、時の政治権力に何を訊かなければいけないかという点が、非常に曖昧になってしまっている。

青木　国谷さんにまったく同感ですし、日本のメディアが記者クラブ制度などに由来する悪弊を温存したまま現在に至っているのは事実です。僕もかつて通信社の記者を長く務め、現在のメディア状況に加担してきたことへの忸怩《じくじ》たる思いもあります。

　一方、国谷さんはフリーランスという立場でありながら日本最大級の報道機関というか、唯一の公共放送たるＮＨＫの看板報道番組でアンカーを20年以上務められ、権力監視の役割を果たすことに難しさなどを感じたことはありませんでしたか。

国谷　たしかに私はＮＨＫという公共放送のなかでずっと仕事をさせていただいてきました。その原点を振り返ってみると、私は最初、立ちあがったばかりのＢＳ（衛星放送）という、当時はほとんど視聴者がいない環境のなかで仕事をはじめました。

青木　国谷さんはニューヨークで暮らしていた１９８０年代、ＮＨＫのＢＳ放送の現地キャスターとしてテレビ番組への出演をはじめられたんですよね。

番組内で忖度や遠慮はなかった

国谷　その後、帰国して、東京から衛星放送「ワールドニュース」のキャスターを担当しました。その時期は、ちょうどベルリンの壁が崩壊したり、ソビエト連邦が消滅したり、世界がガラガラと音をたてて変わっていくような激動期でしたが、視聴者がまだとても少ないということもあって、自由にのびのびと仕事をやらせていただきました。ですから当時は組織ジャーナリズムの難しさを感じることもあまりなくて。

青木　地上波のＮＨＫ総合テレビで「クローズアップ現代」がスタートしたのは１９９３年ですか。

国谷　そうです。地上波の「クローズアップ現代」がスタートした年も、日本国内ではいわゆる55年体制が崩れ、ある意味で自由な空気が漂うなか、幸運なことに番組は多くの方々の支持を受けて一気に定着することになりました。

以後も番組で私はさまざまな政治家へのインタビューを、これは与党にも野党にもさせていただきましたが、当時はＮＨＫの内部でも、「クローズアップ現代」に関しては、制作集団がかなり自発的、自主的に番組に取り組めるような空気がつくられていました。

青木　それはなぜですか。

国谷　やはり「クローズアップ現代」という番組が視聴者の支持を早い時期に獲得することが

できたこと、それが非常に大きかったと思います。番組に対する外部の声、外部の評価というのが局内にも経営陣にも伝わり、私のようなフリーランスがキャスターをしていても、外部から高く評価されている番組だから大事にしようという空気があった気がします。

ところが、「クローズアップ現代」も、最後の方の数年は、番組をどう〝管理〟していくかという面が強まってきたNHK全体の影響を受けるようになりました。

そこで私がきちんと権力に向き合ってこられたかというご質問に戻りますが、私は最初から訊くべきことは訊くということを大事にしたいと考えてきました。もちろん、場合によっては地雷を踏みかねないテーマだったり、強い反応が予想される内容の際には最大限の注意を払ってはきましたが、インタビューや番組内の発言で誰かを忖度したり、遠慮したりすることは基本的にありませんでしたし、だからこそ番組を評価していただけたのだと思っています。

青木　これはあとでお尋ねしようと思っていたんですが、いまのようなお話が出たので、あえてストレートにうかがわせてください。高い評価を受けて23年も続けてきた番組から国谷さんが降板したのはなぜだったのですか。同じころ「報道ステーション」や「NEWS23」でもキャスターが降板し、これは政権の圧力ではないかといった指摘が飛び交ったのはご存知のとおりです。

メディアコントロール強化という外部的な環境変化

青木　このうち国谷さんについては、当時の菅義偉官房長官が番組に出演した際、僕に言わせれば至極当然というか、国谷さんもそう考えたから質問されたのでしょうが、辛辣な質問をぶつけられたことに菅氏が激怒し、それが降板の原因になったのではないかと一部で囁かれました。差し支えない範囲内で国谷さんに真相をうかがいたいのですが。

国谷　端的に申しあげれば、直接的に圧力があったかどうかは私にはわかりません。私はNHKの職員ではなく、1年とか2年といったスパンで契約が更新される契約のキャスターでしたから、そもそも23年も続いたというのが非常に稀有なことだったと思うんです。その間には番組打ち切りの話がなかったわけではないのですが、さきほどもお話ししたように視聴者のみなさんに支持されている番組は続けていこうという雰囲気が経営層にもあったと思います。

ただ、それがだんだんと変わっていったのも事実です。先ほど申しあげましたが、組織内部できちんと管理できる番組かどうかということを重視する傾向が強まっていった。では、それはなぜかというご質問になるかと思うんですが、正直に言って、はっきりとしたことはわかりません。ただ、メディアコントロールを強めていきたいという外部的な環境変化が大きかったのではないでしょうか。

青木　外部的な環境変化、ですか。

国谷　たとえば、トップの会長も長らく続いていたＮＨＫの生え抜きではなくなり、外部の方が送り込まれるようになりましたね。経営委員などの人選も、各界の人材を揃えるといったかつての色彩が薄くなり、政界と関係の深い経済界の方が中心になってきたように感じます。そういったことはＮＨＫ内の変化と決して無関係ではないでしょう。

そうしたなか、私のようなフリーランスの人間が報道番組のキャスターを担当していること自体が、いわば管理しにくいと思われる存在、扱いにくい番組として意識されるようになってきたのかもしれません。政治がメディアコントロールを強めていくという大きな流れのなかで、少なからずそうした影響は受けたのでしょう。

青木　政治がメディアコントロールを強める流れのなかに国谷さんの降板もあったと。ならば、その流れをつくったのはあきらかに安倍政権ですね。

さまざまな政治的背景はあるにせよ、「一強」と称される体制をつくりあげた長期政権は、戦後の歴代政権がかろうじて自制してきた人事権を放埒《ほうらつ》に行使し、内閣法制局長官や日銀総裁などにお気に入りの人物を据える一方、報道機関でもあるＮＨＫの会長や経営委員にもお友だちを次々送り込みました。

内閣人事局を通じて幹部官僚の人事を牛耳られた霞が関にも忖度ムードが蔓延しましたが、ことあるごとに恫喝《どうかつ》されたメディアにも情けないことに自粛や萎縮のムードが広がった。それがＮＨＫの内部や番組を取り巻く環境も変えていったということですか。

番組制作が厳しくなっていった

国谷　同時に、公平公正ということに関するＮＨＫ内の捉え方も変わってきたように思えます。以前はＮＨＫの編成全体でバランスを取りながら、多様な意見を視聴者に伝えていくという考え方が長い間、続いていました。

ですから、ひとつの番組内でバランスをとったり、対立している意見がある場合は必ず入れ込まなくてはならないということはなかった。ニュースで政府の方針を中心に伝えていれば、「クローズアップ現代」では番組独自の視点で伝えても、それはＮＨＫとしての公平公正を逸脱することにはならない、と考えられていました。「クローズアップ現代」はひとつのテーマを多角的な視点から見ていくことを大切にしていましたが、それは公平公正やバランスをとるためではなく、あくまでテーマを深掘りしていくためでした。ただ、気を付けていたのは、その日のテーマを扱ううえで、どのような立ち位置から描いていくのかは、番組冒頭で明確にしたうえで放送するようにしていました。それが視聴者に対してフェアな向き合い方だと思っていたからです。

それが、次第に公平公正という考え方が狭く解釈されるようになり、ひとつの番組内で多様な意見をバランスよく扱うことが公平公正なのだという雰囲気が醸し出されるようになってきました。そうなると、政治的に対立があるテーマを取り上げるのが難しくなってきた。

たとえば、大きな論議を呼んだ安保関連法についても、「クローズアップ現代」では、なかなか取り上げることができませんでしたし、特定秘密保護法は一度も取り上げることができませんでした。こうした政治的に議論のあるテーマは、30分の番組では様々な意見を「公平」に扱うことは難しい、バランスをとるのが難しい、というのが取り上げない理由にされました。議論があるからこそ扱わなくてはならないのに。

青木 そうか、「クローズアップ現代」は特定秘密保護法については一度も取りあげられなかったんですよね。

国谷 はい。

青木 報道番組としてそれはかなり異様なことですが、どのテーマを取りあげるかはもちろん番組プロデューサーらの権限とはいえ、次はこのテーマを取りあげようとか、今度はこういうテーマをやった方がいいんじゃないかとか、キャスターの国谷さんが提案されることもあったんですか。

国谷 「クローズアップ現代」は、海外支局も含め、あらゆる組織のプロデューサーやディレクター、記者などからの提案によって放送されていました。もちろん私もプロデューサーの方々に様々な提案や意見も言わせてもらいました。提案の正式なオーソライズは、「クローズアップ現代」を所管する部署の会議でされるわけですが、基本的には現場の判断が尊重されていました。ただ、先ほどのような政治的なテーマは、やはり制作現場の判断だけでは難しかったかもしれません。

青木　特定秘密保護法ほど重要なテーマなら現場から当然提案があったと思うのですが、一度も通らなかったということでしょうか。

国谷　と、思います。どれほど取りあげようという声があったかどうかは私にもわかりませんでしたが。

青木　ということはやはり、公共放送たるＮＨＫ内部の空気が大きく変わってしまったということですね。

先ほどおっしゃったように番組のスタート直後、55年体制が終焉を迎えたころはかなり自由に、いろいろなテーマに真正面から取り組むことができた。それはメディアとして本来は当然のことなのですが、国谷さんというキャスターへの視聴者の信頼や「クローズアップ現代」という番組への評価も力の源泉になった。

ところが23年の間に環境が大きく変質し、特に最近はＮＨＫ内部の管理が強まるというか、番組の自由度が失われてきたことを国谷さんも感じていたと。

国谷　そうですね。民主党への政権交代が起きたころなどは、本当にもう毎日のように政治のテーマを扱って、いろいろな角度から伝えました。一方、私は２０１６年の3月に（「クローズアップ現代」のキャスターを）辞めていますが、その前の数年ほどの間に次第に番組制作が置かれている環境はいろいろな意味で厳しくなってきたと思います。

青木　ということはやはり、安倍政権下で政治がメディアコントロールを強めた時期と一致する。それがテレビメディア内部の空気を大きく変え、情けないことに萎縮や〝安全運転志向〟

が強まり、他局でもさまざまなキャスターの降板につながっていったのかもしれない。

起きていることの底流をつかむこと

青木 そこで少し根源的なことに話題を移すんですが、取材記者でもなく、アナウンサー出身でもなく、ある意味で国谷さんは外部からテレビの世界に飛び込んでキャスターを続けられてきたわけですが、そういう形でメディアに関わられたことのメリットとか、あるいはデメリットのようなことを感じられたことはありますか。

国谷 私はニューヨークでたまたま声をかけられたのがきっかけで、本当にポッとテレビの世界に入って、テレビの力とか怖さを何も知らずに出演したのが最初でしたから、責任の重大さをわからずに入ってしまったというのはデメリットだったと思っています（笑）。

青木 キャスター時代の国谷さんを毎日のように拝見していましたが、そんなふうにはまったく感じられませんでした。突っ込むところはきちんと突っ込み、しかし語り口や佇《たたず》まいは非常に柔らかく穏やかで、緩急のあるなかで安心して観ていられるというか……。

国谷 いえいえ、テレビでのひと言ひと言がどういう影響を及ぼすかとか、テレビの持つインパクトをわからずに入ったのは事実です。組織的な教育を受けず、たとえば話し方の教育も受けず、取材の教育も受けませんでした。

でも、そういう体系的な教育は受けませんでしたが、キャスターになる前に、実地でジャーナリズムの経験はしていました。たとえば、外国人ジャーナリストのために通訳や取材のリサーチの仕事をしたり、アメリカ滞在時にはＮＨＫのニューヨーク総局からの依頼で「ＮＨＫスペシャル」の取材リサーチ業務などをしていました。

ですから取材のやり方であるとか、どのようにインタビューをすればいいのかとか、どういう視点で記事やＶＴＲができあがっていくのかとか、そういうノウハウは門前の小僧的に自己流で学ばせていただき、それは私にはとても貴重な体験になりました。

青木　そして長年にわたって報道番組の第一線でキャスターを務めた国谷さんは、メディアとかジャーナリズムというものの一番大切な役割というか、一番守らなくてはいけない原則、原点というのは何だとお考えですか。特にキャスター時代を振り返って、何を一番大事にして仕事をされていらっしゃったか。

国谷　やはり現在起きていることの核心というか、底流にあるものを見つけ出すことでしょう。とにかく底流を探るということを大事にする、それを決して忘れてはいけない。もちろん起きていることの表面を見ることからすべてはスタートするんですが、大きな文脈の流れの底流で何が起きているのかというところにこだわりつづける。それをきちんと見ていくと、やはりすべてのことがつながっていて、大きな文脈を見誤らない、間違えないようにすることが大切だと思います。

青木　メディアやジャーナリズムの役割というと、一般的にまずは事実を早く正確に伝えること、そして同時に権力の監視役を果たすことだと捉えますが、国谷さんは時代や事象の底流にあるものをつかむことがさらに重要だと。

国谷　ええ、私はやはり底流をつかむことが大事だと思っています。権力を監視するにしても、底にある大きな流れをきちんと認識しているか否かによって、権力に対する問い方も変わってくる。

特にいまはそうですよね。世界は激変していて、コロナ禍という異常な事態も加わって大きな転換期を迎えているとき、いったい何のために権力を監視しているのか、それを捉え間違えると、投げかける質問も結果として的外れになってしまうのではないかと思うんです。そうなってくると、どうしても短期的な視点で質問を投げかけてしまいがちです。

インタビューは質問が大事

国谷　私が関わった経験から申しあげると、たとえば権力者にインタビューをするといっても、時間はせいぜい20分程度で、それでも比較的長い方ですよね。でも、インタビューの現場では20分なんてあっという間に過ぎてしまう。だからその短い時間で何を問わねばならないかという芯の部分をしっかり持っていないと、せっかく与えられた時間が結果的に無為に過ぎ、いま問わなければならないことを問うことができない。

さらにはっきり言えば、そういうときって相手の答えにはあまり期待できないんです。特に生放送で、特ダネとなるような発言というのはなかなか出てきません。時にはあるでしょうが、それはあくまでも例外であって、実際にはなかなか出てこない。

青木　いくら的確な質問をぶつけても、期待するような答えが短時間の生放送で権力者の口から出てくることはなかなかないと。

国谷　ないですね。だからこそ、たとえ答えが得られなくとも、こちらが発した質問の内容、何を問うているのかが重要です。質問の内容によって問題の所在はどこにあるのか、問題の本質はなにか、何が隠されているのかに迫ることもできる。問いを発することで、そういうことを視聴者と共有するということが大切な作業だと私は考えています。たとえ権力者の口から説明されることがほとんどなかったとしても、インタビューのやりとりを伝えることで、ああなるほど、こういうことがいま問題なのか、こうした説明をすることを権力者側は避けようとしているのか、などと視聴者が共有できる、伝えることができると思っていました。

青木　いったい何が問題核心か、質問によって視聴者に考えてもらえると。

国谷　考えてもらえるというか、共有してもらえる。そしてもっと調べてみようと思ったり、声をあげるといった行動につながるかもしれない。

　だから私としては、何を質問するかが大事なのです。インタビューというのは本当に難しくて、テレビの生放送の場合はあっという間に過ぎてしまい、相手が言いたいことだけで終わってしまうことが多いのですが、そこを何とか食い下がって、問い続ける努力をしなければなりません。

青木　つまり、時の権力者や取材対象ときちんと対峙するのは当然のことだけれど、物事の底流にあるものを的確につかんでおかないと質問自体がピント外れになってしまうだけでなく、視聴者と本来共有すべき問題意識も曖昧で散漫なものになってしまいかねないと。

国谷　ええ。私はそう思います。

青木　そこでもうひとつうかがいたいのが、キャスターという存在についてです。

一般の感覚に近いものを持つ

青木　私のような活字メディアの記者あがりにはなかなか実感できない部分でもあるのですが、新聞などの活字メディアでは、取材をする人間が基本的には記事も書き、取材で得た事実を読者に伝えることになりますね。ところがテレビの場合、記者たちが取材した内容はＶＴＲとともに国谷さんのようなキャスターを通じて視聴者に伝えられることになります。

どうなんでしょうか、その際の取材記者とキャスターの意思疎通や役割分担というか、取材者である記者とキャスターというのはどう違うのか。キャスターとはそもそもどうあるべきなのか。国谷さんはどのようにお考えだったんですか。

国谷　両者はだいぶ違うと思っています。「クローズアップ現代」は、取材してきた記者やディレクターがつくるVTRリポートと、私が担当するスタジオ部分、キャスターコメントやゲストへのインタビューで構成されていました。取材者は取材対象の中に深く入り込んで、大事な事実をつかみ取り、VTRリポートでストーリーとして伝えるわけです。

では、その事実やストーリーをどういう文脈のなかで捉えたらいいのか。キャスターとしての私はその取材してきたものにどっぷりと入り込んでいないがゆえに、視聴者がこのVTRを観たときにどんな疑問を持つだろうとか、どんな事実にあらたな発見をみいだすのだろうかなど、視聴者の方々の感覚に近いものを持つことができます。

その視聴者の思いや感覚を大事にしながら、記者やディレクターのみなさんが取材してきた事実の重さや熱をどう自分の言葉に置き換えて伝えていくか、それが私の仕事だと考えてきました。

ですからキャスターには、全体を俯瞰《ふかん》する役割があるように思えます。取材されてきた事実を大きな文脈のなかでどう見ればいいのか、それを伝える役割ですね。どんなテーマであっても専門家の方々の資料などをたくさん読み込むことで、VTRリポートで取材できていない部分、表現できていないことに気づくこともあります。あるいは映像として撮れていない部分や、リポートでは構成から落ちているけれど、そのテーマにとっては必要な部分をどのようにスタジオで補ったらいいかも考える。

つまり、記者やディレクターは、自分が取材した事実を徹底して深掘りし、私はもう少し広い視点から取材でつかみきれていない部分、専門家からみると大事なのに触れられていない部分、そういったこともきちんと踏まえてスタジオでコメントし、ゲストにその部分をインタビューする。ですから伝え手の仕事、役割は、記者やディレクターとは違います。お互いが補い合い、相乗効果が生まれる時、いい番組となります。

青木　そううかがうと非常に難しい役回りですが、国谷さんのようなキャスターがいてくれると、取材する記者やディレクターは本当に心強いでしょう。また、おかしな取材はできないという緊張感にもつながる。

国谷　そこまで頼りになったかはわかりませんが、ほかにもいろいろな苦労はありました。

青木　というと？

新しい問題を概念づける言葉を探す

国谷　これまでにない新しい概念が登場して、そのことを説明する言葉がまだ社会のなかに生まれていない場合、それを映像などで見てモヤモヤした感情を呼び起こされたりしますよね。そういうとき、適切に表現する言葉をどう探すかというか、どうやって言葉で概念づけるか。

青木　具体的にいうとどういうことですか。

国谷　たとえば最近、「気候正義」という言葉がよく使われるようになりました。英語でいうと「climate justice」。

青木　人類がいま直面している地球規模の深刻な気候変動問題は、これまで繁栄を謳歌してきた先進国や先行世代が生み出してきたものであって、その悪影響だけを受ける発展途上国や将来世代、貧困層などの不利益への責任を先進国や先行世代が負うべきだ、というのが「気候正義」の基本的な考え方ですね。

国谷　ええ。以前、その言葉はあまり広く使われていませんでした。しかし、地球温暖化への関心が高まるなか、気候変動による痛みやしわ寄せは、CO_2をほとんど排出していない途上国の貧困層に最も大きな影響、被害をもたらしているのだ、という事実が、この「気候正義」という言葉によって明確に概念づけられ、説得力を持って伝わるようになりました。

　さらにさかのぼれば、セクハラやパワハラといった言葉もメディアなどが使い、それが広く共有されることで社会問題化していきました。そういう適切な言葉、新しい問題を概念づける言葉を探し、使っていくのも伝え手の役割だと思います。

青木　なるほど。そうやって記者やディレクターの取材成果を視聴者に伝えるキャスターを長年務めていると、逆に日本メディアの記者や取材のあり方の問題点にフラストレーションを感じることも多かったのではないですか。特に国谷さんは外国メディアのあり方にも詳しいですから。

国谷　最近の出来事でひとつ感じたのは、東京オリンピック・パラリンピック競技大会組織委の会長だった森喜朗さんが辞任した際の報道ですよね。女性蔑視発言で批判され、辞任に追い込まれたわけですが、その後任として川淵三郎さん（サッカーＪリーグ初代チェアマン）の名を大手メディアは一斉に報じました。

青木　森氏が以前から親しい関係だったという川淵氏に後任会長への就任を要請し、川淵氏も受け入れたことが一時大きく報じられました。

国谷　それに対して「おかしいんじゃないか」「辞める人がなぜ後任を選ぶのか」といった声をネット上に挙げたのは市民側でした。

一方のメディアは、森氏の後任指名に大した疑問も突きつけず、まるで決まったことのようにトップ記事で書き、テレビも同じように伝えました。この市民感覚とのズレは現在のメディアの重大な弱点ではないでしょうか。

つまり、権力の懐に飛び込んで取材し、今回のような権力による独断的な後任指名が行われることを見続けてきたがゆえに、それが当たり前という意識になってしまっているというか、慣れきってしまっているのではないか。逆に青木さんはどうお感じになりましたか。

青木　おっしゃるとおりだな、と思いつつ、あえて議論を喚起するために申しあげれば、ファクトを迅速に伝えるのがメディアの第一義的な役割でもありますね。実際のところ森氏の後任会長人事は大きな焦点であって、森氏が川淵氏に就任を打診し、川淵氏が受け入れたというファクトを伝えただけのこと、といえなくもない。

そこには記者たちの特ダネ意識であるとか、悪しき公平中立意識のようなものもちらつきますが、解説記事などで後任会長の決め方やプロセスへの疑義を突きつけることはできても、まずは後任会長人事をめぐるファクトを伝えるのがメディアの役割であって、それに対する市民社会の批判が高まれば、それはそれとしてまた伝えればいい、という理屈も成りたちそうです。

権力との距離感という問題

国谷　なるほど。ただ、そうやって特ダネ意識が先行して、メディアが後任指名に疑問を抱かず、違和感も表明せずに報道してしまうことで、後任者選考の本来あるべき姿が無視されているという問題点が見えなくなってしまうと危惧します。

記者会見で訊くべきことを訊かず、夜討ち朝駆けで取材することの方を重視してしまう取材のあり方の背後にも、公の場で訊いてしまうと特ダネ感が薄れてしまうという意識がありますよね。

青木　たしかにそうした悪しき風潮の存在は否定できないと思います。正直に言えば、通信社記者時代の僕がまさにそうでした。

国谷　そうやって取材対象とプライベートな関係づくりに励み、自分だけ家のなかに上がらせてもらって、あるいは車に箱乗りして話を聞けることの方が大事だという感覚。つまりは権力との距離感の問題ですよね。

私自身はそういう組織ジャーナリズムのなかで取材したことがなかったので、こういう言い方をするのが申し訳ない気もするのですが、記者会見といった公の場できちんと問うべきことを問わないというメディア文化の背後には、そうした取材のあり方や記者の意識の問題もあるんだろうと強く思ったりもします。

青木　果たしてそれでいいのか、と。

国谷　これはいま世界中で起きていることですが、誰もがＳＮＳなどを通じて情報を発信できるようになって、言葉が瞬時に世界中へと拡散されて駆けめぐるようになるなか、新聞の部数は減り、若者たちはテレビにもアクセスしなくなって広告収入なども減り、大手のメディアはどんどんと苦しい立場に追い込まれています。ただ、だからこそプロフェッショナルな記者たちはますます事実を深掘りして真実に迫っていくことが求められている。

そこで思い出すのですが、私は何年か前、ＩＣＩＪという国際的なメディア組織、正式にいうと「国際調査報道ジャーナリスト連合」を立ちあげたチャールズ・ルイスさんにインタビューをすることがありました。

青木　ＩＣＩＪは米ワシントンに本拠を置く非営利の調査報道機関で、近年は世界の有力メディアやジャーナリストが参加して数々のスクープの起点になってきましたね。

よく知られるところでは２０１６年に公表されたパナマ文書報道でしょう。世界の富裕層がタックスヘイブン（租税回避地）を利用して巨額の税逃れをしている実態を明るみに出した調査報道には、日本からも僕の知人の朝日新聞や共同通信の記者が参加しています。

すべての政府は必ず真実を隠そうとする

国谷　そのＩＣＩＪの創始者であるチャールズ・ルイスに私がインタビューしたのは雑誌『世界』（２０１６年8月号、岩波書店）誌上だったのですが、彼が指摘していたのは、アメリカでもローカル紙がどんどん衰退して25年前に比べると記者の数が半分になってしまったというんですね。ですからローカルガバメント（地方政府）や地域出身の連邦議員が何をやっているかの報道が激減し、特にお金のかかる調査報道が行われなくなり、そういう地域では不正や腐敗が横行するようになっていると。

そしてチャールズ・ルイスはこう強調しました。「すべての政府は必ず真実を隠そうとします」と。「それが政府の定義だとすらいえる」とも彼は言います。権力を持つと自分が特別な身分になったと勘違いし、過ちを犯してもそれを隠して批判を回避しようとする。だからこそメディアは忍耐強く事実を追求しなければならない。最も苛立たしいのは「自分たちが何を知らないのかを、自分たちが知らないことだ」と。

青木　まったく普遍的な民主主義の定理です。権力者や政府は自らに不利な事実を常に隠そうとするものであって、僕らがその事実を知らなければ批判のしようもなければ抵抗のしようもない。まさに「民は由らしむべし知らしむべからず」という封建時代の政治に堕してしまう。だからこそ、それを突破するためにメディアやジャーナリズムは本来存在する。

そのメディアにも関わる話で最後にもうひとつうかがっておきたいことがあるのですが、先ほどもお話にでた森喜朗氏の女性蔑視発言をきっかけとして、日本のジェンダー状況の後進性があらためて注目を集めましたね。

国谷　わきまえない女がいると会議が長くなると（笑）。

青木　ええ。あれほど軽率で馬鹿げた発言が批判を浴びるのは当然だと思いますが、しかし一方でこれはまったく他人事ではなく、メディア業界だって完全なる男社会、ボーイズクラブ的な風潮に覆われてきたわけです。国谷さんが先ほど指摘されたように、記者会見で訊くべきことを訊くよりも夜討ち朝駆けなどで権力者らとプライベートな関係を強めるといった取材のありようは、まさにメディア界が男社会だからこそ成りたってきた悪弊でもある。

そういうメディア界に国谷さんは女性キャスターとして長く携わってこられたわけでもありますが、ご自身の体験なども踏まえ、日本におけるジェンダー不平等の問題についてあらためてご意見をうかがえますか。

国谷　責任ある立場にもっと女性が増えないと、この国はよくならないと思います。なのに、いまなお日本社会のなかで権力を持っているのは古めかしい女性観というか、差別的な眼で女性を見ている方々だということが、森さんの一件ではっきりと見えてしまったわけです。

たとえば選択的夫婦別姓制の導入についても、いまだに別姓が認められていない国は世界にもほとんどないわけですよね。

青木　ええ。少なくとも、婚姻したカップルに同姓を事実上強制しているのは世界でも日本だけです。しかも選択的な夫婦別姓制度であれば、別姓を望むカップルが別姓を選ぶだけの話であって、同姓を望むカップルはいままでどおりに同姓にすればいい。ただそれだけの話だというのに、自民党内の保守派というか、右派の議員たちが明治期につくられたに過ぎない「伝統的家族」なるものに固執し、希望者が別姓を選ぶだけの制度すらいまだに実現していないのが現実です。

一刻も早くダイバーシティを進めなければ

国谷　ようやくいま、政権与党のなかでも少しずつ議論されるようにはなりましたけれど、選択的夫婦別姓制すら認められていない社会に私たちが暮らしている事実がまずはあるわけです。

また、社会のなかにも男女の役割分担意識が根強く残っています。企業のなかで女性の管理職比率が増えない理由として、まだ管理職候補が育成されていないので、とか、女性社員そのものが少ないので、といった相変わらずの話を聞かされます。NHKでも女性管理職比率はまだ10％ぐらいしかありません。

そういう状況では女性が気づくテーマとか、女性にとって大切なテーマがメディアのなかで十分に取りあげられるはずがありません。結果として、よりよく社会を変えていくためのアイデアの幅が狭くなり、議論が活発にならない会議が横行したとしてもなんの不思議もないでしょう。
よく指摘されますが、世界経済フォーラム（ＷＥＦ）が公表する最新の日本のジェンダー平等指数は世界１２０位。これも２０１０年ごろにはまだ90位台でした。なのにこの10年ほどでさらに後退し、他の国や地域はどんどん先を行ってしまった。こうなってくるとクオータ制の導入なども真剣に検討すべきではないでしょうか。

青木　政治分野であれば議員や閣僚の一定数を制度的に女性に割りあてるクオータ制は、北欧などで早くに導入されて女性の政治参加やジェンダー格差解消につながったとされていますね。

国谷　いろいろな反対論もありますが、もはやありとあらゆることをして、一刻も早く社会のダイバーシティ（多様性）を進めていかなければならないと思います。

一方で働き方の問題などもありますよね。私自身のことを振り返れば、キャスターとしては男性と同じように働く仕事をしてきましたが、まわりの女性たちから見れば、出産したり、子育てを抱えていれば、あんな働き方はできないと思われていたでしょう。

正直に言えば、私はそれになかなか気づけていませんでした。自分自身が無我夢中になっているうち、仕事で認められようとして、男性目線の男性中心の価値観や性的な役割分担意識が刷り込まれてしまう。

ですから声をあげれば出しゃばりと思われてしまうとか、組織のなかで排除されてしまうことを恐れて、無意識のうちに男社会の論理に取り込まれている。教育の問題もあるでしょう。そういった面を含め、もっと幅広く社会を変えていかなければなりませんよね。

青木　そう考えると、決して一朝一夕に解決する簡単な問題ではない。

国谷　でも、だからこそある程度は強制的にというか、数値目標を掲げてクオータ制などを導入していくくらいの対策を取らないと、なかなかスピードをもって変えていけないのではないかと思います。

青木　ならば、選択的夫婦別姓制ぐらいは一刻も早く導入しなければならない。これも、それを切望している人たちだけが救われるわけでは決してなくて……。

国谷　ええ、社会が変わるための意識改革の入り口にもなると思います。別姓が認められるんだということは、大きな社会的なメッセージにもなりますから。それすらもまだ議論段階なわけですけれど。

そういえば、私からも青木さんにいくつか訊きたいことがあるんです。

青木　なんでしょう。

デジタル改革関連法案の危険性

国谷　先ほどお話しした日本のメディアの弱さにも通じることですが、最近は本当にさまざまな事実が隠されてしまう。市民の共有財産であるはずの公文書が改竄《かいざん》されたり、そこまでいかずとも隠蔽されたり破棄されたりして出てこない。

あるものをないと言い張り、政府が出すべきファクトが見えないということは、政府がきちんと記録を残し、それに基づいて何が行われたかを私たちが検証し、よりよい方向に進んでいくという民主主義の基本的なルールというものが、この国ではいまだに根づいていないということでしょう。

青木　国谷さんが紹介してくださったＩＣＩＪ創始者の言葉を借りれば、政府が情報を隠蔽し、僕たちは何を知らないのかすらもわかっていないのかもしれません。

国谷　そういう政府の体質をこの数年の間、私たちはくっきりと見せつけられたような気がしています。そして、いわゆるデジタル改革関連法案についてもそれがいえるのではないでしょうか。青木さんはどう考えますか。

青木　ええ。首相をトップとするデジタル庁の創設などを柱とする関連法案は、野党やメディアなどがある程度は問題点を指摘していますが、政府与党は今国会で成立させる方針を崩していませんね（この対談のしばらくあと、関連法案は国会で成立した）。

国谷　そうです。60本以上もの法案をまとめて審議し、そのなかでは私たちの個人情報がいったいどう使われるのかに関する懸念の声が出ています。権力は情報を隠してなかなか出そうとしないのに、個人情報はまとめて一挙に吸い上げ、民間を含めてさまざまなサービスに利用する方向に進んでいます。

もちろん、コロナ禍のなかでワクチン接種を効率的に実施したり、給付金を円滑に届けたり、そういったことに活用されるのは構わないのですが、私たちの個人情報は私たち自身がきちんとコントロールできるのかとか、そういった議論がなされていない。

青木　おっしゃるとおりです。各種行政分野のデジタル化も時代の趨勢《すうせい》にせよ、私たち自身に関する情報の自己コントロール権はもちろん、膨大な個人情報を政府がおかしなことに使わないようどう制御するかは、民主主義との絡みでこの問題を考える際の大きな論点です。

実際、政府が普及に躍起となっているマイナンバー制度などと紐づけられれば、時の政権や政府は膨大な個人情報を串刺しにして集約することが可能になります。銀行口座や健康保険などからは収入やさまざまな支出状況などはもちろん、病歴や通院歴といった極めてセンシティブな個人情報を総覧できますし、将来的にはスマホの位置情報やＥＴＣなどに関する移動情報だって把握できるようになるかもしれない。

それを恣意的に使ったり悪用したりすれば、とんでもない監視国家になりかねない危険性を孕んでいるわけですが、今回のデジタル改革関連法案には、そうしたことに対する外部や第三者的なチェック機能がほとんどありません。いまの政治にそうした人権的なセンスが根本的に欠けているためでしょうが、政府の情報は隠し、捨て、時には文書を改竄してしまうのに、われわれ市民の情報は貪欲に吸い上げようとする。民主主義社会では本来あってはならないことです。これはメディアの政権監視機能が低いことも大きいですね。

国谷　そうやって非常に大切な個人情報をいつの間にか政府中枢に吸い上げられてしまう可能性も指摘されるなか、それをどこまで認めるべきか、どうやってチェックするかという議論は本当に足りませんよね。

環境やエネルギー問題もそうです。2030年度までに温室効果ガスを46%削減するという目標を先に政府は示しました。実現するためには急速なエネルギー転換が必要になります。それでは、現実にどういったエネルギーを今後使い、どうやってそれに移行していくのか。同時に大量生産、大量消費、大量廃棄型の社会をあらため、循環型の経済モデルに変革していかなければならないといった、本当に大事な、大きなテーマというものも目白押しです。

青木降板にメディア状況は影響しているのか

国谷　ですからメディアの役割はいま、本当に大きいと思うんです。

振り返ってみると、私が「クローズアップ現代」をはじめた1993年という時期も、まさにバブル崩壊後の日本の大きな転換点でした。政治も経済も社会もそうです。

そしていま、今度は地球規模の転換が求められるというか、人類にとっての大きな転換点でもあるわけです。あと10年で真にサステナブル（持続可能）な社会に向けて変革できるかどうか。まさに政治も経済も社会も、そういう変革の岐路に立っているがゆえに、メディアが果たすべき役割はとてつもなく大きい。こういう問題があり、それに対するどういう選択肢があって、何を考え、どういう方向に向かっていきたいか。そういう未来をメディア自身も市民に提示する。また、遠いところで起きている悲惨なことでも、実は自分たちが行ったことの結果かもしれないという事実をメディアが伝えることで、そのことが共有されていくことは、問題の解決をはかっていくうえで欠かせません。

青木　なのにメディアが頼りないと。

国谷　本当はもっと応援したいんですよ、メディアを。

そうそう、そういえばもうひとつ、青木さんに訊きたいことがあったんです。なぜ羽鳥さんの番組（テレビ朝日系「羽鳥慎一モーニングショー」）を降板されたんですか？

青木　うーん（笑）、降板といっても、僕の場合は週1回出演していただけの単なるコメンテーターにすぎませんからね。

国谷　でも私の降板の理由をお訊きになったじゃないですか。私も青木さんに訊かなくちゃと思ってたんです。

青木　あの番組はいわゆるワイドショーですし、報道番組をキャスターとして毎日仕切った国谷さんとは立場も影響力もぜんぜん違うと思いますが、僕ももう10年も番組におつきあいしましたからね。番組側にしても、テレビが女性や若年の視聴者層を何とか掘り起こそうと躍起になるなか、僕のようなオッサンはもう用済みということでしょう。

また、大きな流れでいえば、ひょっとすると国谷さんが指摘されたようなメディア状況も影響しているのかもしれません。辛辣にうるさいことを言ってあちこちから目をつけられかねない青木のような面倒なヤツはもういらない、もっと管理しやすいヤツの方がいいと局側が考えたのかも（苦笑）。

それにしても、国谷さんも朝のワイドショーなんてご覧になるんですか。

国谷　もちろん拝見しておりますよ、羽鳥さんの番組も。ですから青木さんが突然出られなくなったので気になっていて。そうそう、「サンデーモーニング」（TBS系）もずっと拝見しております（笑）。いろいろな問題に当意即妙に、かつ厳しくコメントされていて、いつも本当に感心しています。

青木　国谷さんにそんなことを言われると、穴があったら入りたい気分になるので勘弁してください（苦笑）。でも、お話を聞きながらメディアがいま果たすべき役割の重要性を再認識させられましたし、それに強い問題意識を持っていらっしゃる国谷さんがキャスターを務める硬派な番組を再び観たくなってしまいました。同じように思っている人、本当に多いんじゃないでしょうか。

（2021年5月10日）

国谷裕子　くにや・ひろこ

大阪府生まれ。東京藝術大学理事、自然エネルギー財団理事、FAO（国連食糧農業機関）日本担当親善大使。父親の転勤に伴い高校時代まで米国、香港、日本で生活。米国ブラウン大学卒業。NHK「7時のニュース」英語放送の翻訳、アナウンスを担当し報道の世界へ。衛星放送「ワールドニュース」を経て、93年に開始したNHK総合「クローズアップ現代」のキャスターを、2016年3月まで23年間にわたって務める。現在は、SDGsの取材・啓発を中心に活動している。菊池寛賞（02年）、日本記者クラブ賞（11年）、ギャラクシー賞特別賞（16年）、放送人グランプリ（16）などを受賞。主な著書に『キャスターという仕事』（岩波新書）、『クローズアップ藝大　国谷裕子＋東京藝術大学』（河出新書）。

第5章

指宿昭一

ウィシュマさんを殺害した国家の欺瞞

圧政や迫害、戦火や紛争などから命からがら逃れて助けを求める難民に、この国が恐ろしく酷薄な態度を取りつづけているのはいまさら記すまでもない。

また、深刻な少子高齢化に歯止めがかからないなか、この国は日々の生活に不可欠なエッセンシャルワークの多くが外国人に支えられ、もはや〝移民大国〟ともいえる状況だというのに、彼ら彼女らを使い捨ての〝労働力〟としてのみ捉え、基本的な人権すら奪い、いまだ〝経済大国〟の幻影にあぐらをかいてふんぞり返る、そんな〝外国人政策〟も一向にあらためられない。

うんざりするような現状だが、それでも難民や外国人労働者の支援に奔走する者たちは少数ながらいて、本編でインタビューした指宿昭一弁護士はその代表的存在の1人である。

インタビューのため訪ねた小さな事務所は、外国人が多く暮らす繁華街近くの雑居ビル内に佇んでいて、山積みの資料に埋もれながら弁護士は日夜全国を走り回っていた。劣悪な職場から逃れて路頭に迷う技能実習生の支援。賃金すら支払われずに強制送還された労働者の賃金支払い交渉。医療すら受けられずに入管収容施設で命を落とした女性の裁判闘争。この国の経済と社会を最底辺で支えてくれた人びとの裁判や支援に手弁当で駆け回る弁護士の姿に私は、この国にかろうじて息づくほんのかすかだけれど、しかしたしかな正義と希望の光を見る。

だが、現状をこのままにしておいていいはずはない。「弁護士バッジをつけた活動家」。自らをそう称する弁護士へのインタビューには、現下この国の〝外国人政策〟の根本問題がどこにあり、今後はそのどこをどうあらためるべきなのか、決して「活動家」目線にとどまらない、もっと大きなビジョンからの問題提起が含まれているのに気づかされるはずだ。

青木理（以下青木）　現在の日本は「移民を受け入れない」という政策に建前上固執していますが、現実には多数の外国人が私たちの隣人として暮らし、特に技能実習生や留学生としてやってくる人びとは各種の産業や農業などを支える貴重な「労働力」となっています。厚生労働省の最新のまとめによると、２０２１年10月時点の外国人労働者数は実に１７３万人。全就業者の50人に１人が外国人という計算になり、もはや日本は事実上の「移民大国」です。

しかし、「移民」を嫌悪する政権の意向もあり、多くの外国人労働者が極めて劣悪な就労状況下、人権状況下に置かれ、各地の入管施設では収容者がまともな医療すら受けられずに亡くなる惨事も相次いでいます。指宿《いぶすき》さんは弁護士として、そうした人びとの支援に奔走していらっしゃいますね。

指宿昭一（以下指宿）　私は労働者側の弁護を専門とする労働弁護士ですが、特に外国人労働者の支援と、入管問題に力を入れて取り組んでいます。入管問題については、具体的には在留資格のない状態で滞在する外国人の問題、あるいは正規に滞在している方々の在留資格の問題、主に対応しているのはこのあたりですね。

青木　それに現場で関わってきた指宿さんにまさにそのあたりを、さらには戦後の入管行政の問題点についてうかがいたいと思います。

外国人を人間として扱わない組織

青木　最近だと指宿さんは、名古屋の入管施設で亡くなったスリランカ人女性ウィシュマ・サンダマリさん（当時33歳）の支援に当たり、遺族が起こした国家賠償請求訴訟も弁護人を務められていますね。

彼女も極度に体調が悪化しても仮放免さえ認められず、医療も受けられずに命を落としました。入管の対応はまったく許しがたい不条理ですが、なぜこんなことが起きるのか。歴史的な面を含め、指宿さんはどう捉えていますか。

指宿　これは日本の入管行政に一貫した問題です。戦後を振り返ってみれば、これは1960年代のことですが、入管幹部が著書のなかで「外国人は煮て食おうと焼いて食おうと自由」と書いたことがあります。そうした思想が入管行政にはずっと流れている。

つまり、日本人と外国人の間に線を引いて、物事を完全に二項対立で捉える。そして外国人は基本的に管理の対象であって、共生の対象ではない。だから人権や生命についても日本人と同じように扱わない。それが戦後一貫した入管という組織の態度でもあるし、入管行政の姿勢でもある。

それが根本にあるうえで、外国人労働者の受け入れ政策を見ると、労働者の人権とか生活とか、彼ら彼女らを生身の人間として扱っていない。あくまでも「労働力」と捉え、これをいかに使いやすく受け入れるか、そしていかに安く使うか、それればかりに関心が向かってしまっている。要するに、外国人を人間として扱わない入管という組織と政策が根本にあり、その上に最近30年ほどの外国人労働者政策の歪みが横たわっていると捉えるべきでしょう。

青木　そうした入管政策の歪みは、一体なぜ生じてしまったと考えるべきですか。

指宿　さらに歴史を遡れば、戦前戦中の外国人政策に行き着くでしょう。

外国人も地域住民、そして隣人

指宿　ご存知のとおり、戦前の日本は朝鮮半島や台湾を植民地化し、そうした地域や中国などから多くの人びとを労働者として動員しました。なかには強制連行なども含まれますが、軍事関連の工場や炭鉱などで低賃金、劣悪な労働条件で働かされた人びとを治安当局が徹底して管理した。悪名高き特高（特別高等警察）には「内鮮課」という部門があり、朝鮮半島出身者の管理に当たりました。

もちろん特高は戦後解体されますが、以後も在日朝鮮人らをいかに管理するか、これが治安分野の大きな課題とされ、それを担ったのが入管でした。だからその姿勢の根には「外国人は日本社会にいつ刃向かうかわからない存在」であって、「厳しく管理しなければならない」という発想が一貫して流れ、時には外国人を平然と抑圧する。

つまり日本にとって外国人政策はもともと治安政策なんです。しかし、それはもう現実にはそぐわない状況になっています。

最初に青木さんが指摘された170万人超の外国人労働者数も含めると、日本にはすでに300万人近い外国人が暮らしていて、社会のいろいろなところで大切な役割を果たしている。末端の労働者もいれば、大企業の管理職もいるし、大学や研究機関で先端研究に従事する方もいれば、コンビニエンスストアやファストフード店などで働いている方もいる。

そして彼ら彼女らは、この社会で私たちと一緒に暮らす地域住民でもある。私たちの社会を一緒に作っている隣人でもある。まさに共生している状況が現実にはどんどん進んでいる。なのに入管は外国人を管理の対象、もっと露骨に言えば治安政策の対象と捉え、そういう発想からいつまでも抜け出せないから、さまざまなところで矛盾や歪み、問題が出てきてしまっている。

外国人労働者政策について言えば、そうした入管政策の実態をある意味でうまく利用している面もあって、これがあるから外国人労働者を「安く便利に使える」ことができているのではないでしょうか。劣悪な労働条件で技能実習生をがんじがらめに縛りつけ、殴ったり蹴ったりしても文句がいえない状況に置いて使い続けることが何十年も行われてきている。これは外国人を徹底管理する入管政策の下でこそ可能になっていると思います。

自らの「正義」を断じて曲げない

青木　考えてみれば、入管行政は法務省によって担われてきましたね。かつては法務省の入国管理局、これが２０１９年に法務省の外局として出入国在留管理庁に改組されましたが、犯罪捜査や治安維持を任とする検察官が牛耳る法務省が入管行政を担えば、どうしたって発想は治安対策的になってしまう。

指宿　そのとおりです。検察庁と一体となった法務省は、中央省庁のなかでも極めて特殊な役所で、ほとんどの幹部は検察官によって占められています。入管も同様で、歴代の入管局長は大半が検察官。新設された出入国在留管理庁も、現長官は検察官が就いています。そういう法務・検察のなかに入管行政が置かれれば、どうしたって治安対策的な色彩が強くなってしまう。

しかも入管法（正式名は「出入国管理及び難民認定法」）を読むと、これは断じて「共生」のための法律ではなく、あくまでも「管理」のための法律なんです。実際に第一条の「目的」にはこう明記されています。〈全ての外国人の在留の公正な管理を図る〉（傍点は引用者）

難民もそうです。日本は１９８１年に難民条約に加盟し、それに合わせて法律も改正しましたが、入管法第一条の「目的」には〈難民の認定手続を整備する〉と書いてあるだけ。難民条約というのは本来、難民をいかに「保護」するかが目的のはずなのに、日本の入管法は違う。この法律の字面を読むと、難民条約に加盟したから手続きを整備しなくちゃいけないと、だから一応は手続きを決めましたよと、まさにそんな書きぶりで、決して「保護」が目的とされてはいない。

青木　法律面でも法務・検察が牛耳る入管の治安対策的な発想が全面に滲み出てしまっているわけですか。

指宿　ええ。だからウィシュマさんの事件をはじめとして、私が入管問題をめぐる弁護を担当していて常に痛感させられるのは、入管行政に携わる検察官や役人たちの極度の、その度し難い硬直性です。常に自らの「正義」を断じて曲げない。

収容者が亡くなっても、姿勢があらためられない

指宿　ウィシュマさんのケースでいえば、彼女が亡くなったのは2021年の3月6日です。その翌日に新聞等で事実が簡単に報道されましたが、直後に名古屋入管が出したコメントは「医師の指導に従って、適切に対応していた」というものでした。

しかし、それほどの短期間で調査などできるわけがなく、「適切」だったかどうかがわかるはずがありません。なのにわずか2、3日で「適切に対応した」という結論を出し、平然と発表する感覚に入管という組織の体質が象徴されています。

一方、問題の広がりを受けて法務大臣が調査を指示し、8月には最終報告書が出されました

が、一応は「反省」とか「改善を要する」と記されたものの、入管行政の閉鎖性や責任の所在などはあいまいなままです。

つまり、自分たちのやっていることは常に正しく、それをいかに理由づけるかということしか考えていない。だから入管施設で収容者が何人亡くなっても、姿勢や問題があらためられることはない。自分たちこそ「正義」であり、刃向かったり抗議したり、あるいは強制送還に応じない外国人は「不正義」なのだと、そういう独善性を強烈に感じるんです、入管という組織には。

青木　ウィシュマさんの事件について少し詳しくお聞きしたいのですが、彼女はもともと留学生として日本にやってきたんですよね。

指宿　ええ、２０１７年の6月に留学生として来日しました。スリランカは大学進学率がかなり低い国ですが、彼女は現地で短大を卒業して英語の教師を務めていたんです。

ですから日本ではまず日本語学校に通って日本語を学び、日本で英語の教師になろうとしていました。

青木　ところが授業に出席しなくなって２０１８年6月に日本語学校を除籍となり、翌19年１月から不法残留状態になってしまった。その後、名古屋入管の施設に収容されたと。

不法滞在だとしても、命まで奪われていいはずがない

青木　これはあえてお尋ねするのですが、ウィシュマさんが亡くなったのはお気の毒にせよ、不法滞在なら入管に収容されるのは当然だし、もっと早い段階で自ら帰国すれば亡くなることもなかったのでは、と考える人も多いんじゃないでしょうか。外国人労働者の事情や過酷な環境を知らなければ、なおのことそう捉えてしまいそうな気もします。

指宿　そうかもしれません。ただ、この事件にはもっとさまざまな問題が横たわっていて、私たちは事実を正確に知ったうえで物事を考えるべきです。

まず何よりも問題なのは、仮に不法滞在状態——私たちは非正規滞在といいますが——だったとしても、命まで奪われてしまっていいはずがありません。ウィシュマさんは収容先で吐き気などの体調不良を訴え、その後は自力での移動や摂食も困難になり、明らかな栄養失調、飢餓状態に陥っていました。体重も20キロ以上激減し、尿検査などでも飢餓状態であることを示す明白な異常値が出ています。

なのに入管の職員は「仮放免を受けるための詐病」などと決めつけ、適切な医療を受けさせなかった。挙げ句の果てには、摂食障害で鼻からカフェオレを垂らすウィシュマさんに「鼻から牛乳や」などと職員が侮蔑的な言葉まで投げつけている。

その末に彼女は亡くなりました。あろうことか、国の施設である入管で亡くなってしまった

んです。どう考えてもこんなことはあってはならない、誰に対しても絶対にやってはいけない。まずはこれが最大のポイントです。

また、日本に暮らす外国人の在留資格制度が厳しすぎるのも大きな問題です。ウィシュマさんの場合、学校に行かなくなったから在留資格の延長ができなかったのは事実ですが、本来はもっと柔軟な扱いを受けるべき事情もありました。

青木　というと?

入管施設は一時的な身柄確保

指宿　実は彼女、DV（ドメスティック・バイオレンス、家庭内暴力）の被害者だったんです。当時一緒に暮らしていた男性に激しい暴力を受け、耐えきれずに近くの交番に逃げ込んだ。これが2020年8月。だから彼女は不法残留容疑で逮捕され、名古屋の入管に収容されました。そして必死で逃げ出した彼女の所持金は当時、わずか1350円しかありませんでした。

また当時はコロナ禍の最中ですから、帰国するにしても飛行機が飛んでいない。所持金もないから、自費では航空券も買えない。そんななかで収容が続いたのですが、DVから必死で逃げてきた被害者だったことを考えれば、仮に在留資格が切れていても、本来は保護の対象にすべきだったのです。場合によっては在留特別許可を与えてどこかの施設に保護するとか、そういった対応もできたはずです。

青木　おっしゃるとおり、そうした事情があったなら逮捕して収容するより、むしろ人権侵害の被害者として保護すべきだというのは納得できます。

指宿　そうした事情を知らない人も多いから、「不法滞在は犯罪だ」「帰国すればよかったじゃないか」などという主張が飛び交ってしまうんです。

青木　しかも問題なのは、入管の収容が極めて恣意的に行われている点ですね。

通常の刑事事件であれば、被疑者を逮捕したり勾留したりする際は、当然ながら裁判所の令状が必須です。身柄拘束というのは、それ自体が重大な人権制約ですから、適切な司法手続きが必要になるのは当然でしょう。

ところが入管の場合、収容時にそうした手続きがまったく入らない。だから入管の恣意というか、一方的判断で収容され、長期化するケースが蔓延してしまっている。

指宿　おっしゃるとおりです。さらにいえば、入管施設への収容というのは刑罰でもなんでもなく、強制送還のための「一時的な身柄確保」にすぎないはずです。

しかし、コロナ禍の最中では航空便そのものがなかったり、飛んでいても費用をどうするかといった問題が生じる。そうした状況下で収容が長期化するのは、入管が本人に帰国を同意させるための圧迫、帰国しない人は収容が続くんだよという警告に使われてしまっている。ある意味でこれは拷問です。

入管という組織の構造的問題

指宿　ウィシュマさんのケースもそうでした。彼女には支援者の女性がいて、仮放免が認められたら受け入れる部屋まで準備して仮放免を申請していました。しかも体調は悪化し、仮放免の条件は完全に整っていた。

なのに入管は、お前は帰らなければいけない立場なのだと本人に思い知らせるために仮放免を不許可にしたと、これは法相の指示を受けてウィシュマさん死亡の経過を調査した報告書でも明らかになっています。

たとえば報告書にはこう記されています。〈仮放免を不許可にして立場を理解させ、強く帰国を説得する必要あり〉。さらには〈仮放免されて支援者の下で生活するようになれば、在留希望の意思がより強固になり、帰国の説得や送還の実現がより一層困難になる〉。しかも報告書は、このような理由による仮放免不許可は、「相当の根拠があり、不当と評価することはできず」と書いてある。

青木　しかし、彼女の仮放免を認めていれば、少なくとも亡くなるような事態は避けられたわけでしょう。

指宿　そうです。仮放免後の部屋まで準備してもらっていたウィシュマさんが逃げ出すことは考えにくいし、少なくとも死ぬのだけは間違いなく避けられた。つまり、現在の収容という仕組みそのものに根本的な問題が横たわっている。

実は最近の入管行政における収容の扱いを振り返ると、２０１０年ごろから多少は緩和的な対応がとられていたんです。ところが数年後に逆転し、管理の傾向が再び急激に強まります。帰国を拒む外国人を「送還忌避者」などと呼び、これを減らすためにありとあらゆる工夫をせよ、という通達が入管内部で何度も出されている。

しかもそれに合わせた勤務評定のような仕組みまで作り、忠実に実行する職員ほど入管組織内の評価が高くなるようなことをはじめた。ですからウィシュマさんが亡くなるような事件が各地の入管施設で続発しているのは、ある意味で必然であり、入管という組織の構造的な問題だと思います。

検査結果は危険な値だった

青木　ところで送還はあくまで自分の意思で、自費で賄《まかな》うことになっているのですか。
指宿　たしかに強制送還というと、収容者の手足を摑んで飛行機に無理やり乗せる、というイメージがあるかもしれません。
しかし、現実にそういったケースは数％ほどしかありません。まずは費用も本人に負担させる。自分で航空チケットを購入し、自分の意思で帰ってもらう。制度上は本来例外のはずなのですが、まるでこれが原則のようになってしまっている。

なぜかといえば、その方が入管にとって都合がいいからです。予算もかからず、職員の手間もかからない。だから自費出国が入管の方針になっていて、それに同意させるよう収容で圧力をかける。「わかりました、私は帰国します」「お金はありませんが、実家から送ってもらうか、友達から借りて工面します」というのが入管の理想形。その方が予算も手間もかからないというのが最大の理由です。

青木　だから収容をひたすら長期化させ、収容者を圧迫し続けると。

それでも解せないのは、体調に明らかな異変があったのに、まともな医療すら受けさせずに死に至らしめた入管の信じ難い非人道性です。名古屋入管の収容施設だって、担当の医師はいたはずでしょう。

指宿　非常勤ですが、内科の医師が週2回、2時間ずつ来診していました。その医師がウィシュマさんの尿検査を指示したんです。なのに医師は、検査結果の異常値を見たかどうか覚えていないという。一方、看護師は医師に報告したという。

医師が嘘を言っているのか看護師の証言が虚偽なのかはわかりませんが、知り合いの医師に聞くと、検査結果の数値は看護師でも危ないと気づくぐらいの異常値だと口を揃えるんですね。すぐに救急車で病院に運ばないと危険な値だと。ところが何の対処もしていない。

治す医療ではなかった

指宿　そして亡くなる2日前には、外部の病院の診察を受けました。ところがなぜか精神科の病院に連れていかれ、それでも点滴などの処置をすればよかったんですが、それも行われていない。いずれも故意なのかミスなのか判然としませんが、結局は何も行われずにウィシュマさんは亡くなってしまった。

だから必然的に亡くなったのであって、私たちは「殺された」と捉えています。当時の名古屋入管幹部や職員を殺人罪で刑事告訴した理由もそこにあります。

青木　名古屋入管の姿勢こそが最大の問題ですが、一応は診療に当たった医師にも問題がありそうですね。

指宿　たしかにそうです。ただ、これも知り合いの医師に聞いた話なのですが、入管収容施設などにおける医療というのは、そもそも本来の医療などできないというんですね。

なぜかといえば、治す医療ではないからだと。送還に耐えられるだけの対症療法をする医療にとどまるから、患者を治すという使命感を持っている医師には苦痛なのだそうです。だから自分ならば絶対にやりたくないと。

しかも入管にすべてをコントロールされ、収容者が診察を受けたくても、すぐに医師にアプローチできるわけでもない。ようやく外部の医療機関を受診できても、説明も本人ではなく入管職員がするから状況が正確に伝わらない。これでは医師としての、人の命を救う者としての仕事などできない。

青木　ならばやはり入管という組織と職員の根本的な姿勢が問われますね。いくら管理や治安意識が先行していても、あるいはいくら不法滞在状態の収容者だとしても、眼前で1人の人間が病や苦痛に悶絶していれば、せめて医療を受けさせようという感覚になぜ至らないのか。

これを組織や役人としての保身の面から考えても、収容者がおかしな亡くなり方をすれば問題化し、責任を問われかねないわけでしょう。にもかかわらず今回のような事案が続発するのは、甘い態度を取ったらつけあがるという治安対策的な発想に末端職員まで完全に毒されているということですか。

入管は何があっても責任を負わない

指宿　そうだと思います。ウィシュマさんの様子を毎日見ている現場職員には、もしかしたら助けたいという気持ちがあったかもしれません。しかし現実には救急車を呼ぶ電話1本さえできなかった。そういう強力な管理体制の下に置かれていたと考えるべきでしょう。

それに青木さんがおっしゃるとおり、医療すら受けさせずに彼女が亡くなれば、普通なら社会問題になって公務員としての責任を問われ、入管庁としても責任を問われると、そう考えるはずです。でも、おそらくはその感覚すらない。現場職員がその感覚すら失い、奪われている入管という組織の現状こそが問題なのです。

実際に入管施設では２００７年以降、ウィシュマさんを含め17人もの収容者が亡くなっています。しかしこれまで、入管の責任が問われたことは一度もありません。

たとえば長崎県大村市の入管センターでは、２０１９年に当時40代のナイジェリア人男性が亡くなりました。これは国会などで多少問題化しましたが、入管庁はその対応が〈不当だったとはいえない〉と結論づける報告書を発表して幕引きしました。その際の報告書にも〈収容の長期化という問題は、送還の促進によって解消すべき〉と記されています。

青木　ウィシュマさんの事例と同じですね。

指宿　ええ。そして誰も刑事責任を問われていないし、内部で処分さえ受けていない。

さらに遡れば、茨城県牛久市の入管施設に収容中だった当時40代のカメルーン人男性が２０１４年に死亡した事件では、男性の母親が国家賠償請求訴訟を起こし、水戸地裁は２０２２年９月に入管の対応に不備があったとして１６５万円の賠償を命ずる判決を下しています。しかし、国はこれを不服として控訴をしている。判決を受け入れて入管が方針をあらためたわけではありません。

結局のところ入管は何があっても責任を負わないんだと、大丈夫なんだと、むしろここで力を緩めて不法滞在者を帰国させられなくしてしまうことの方が問題なのだと、もはやそういう感覚の方が圧倒的に優勢になっているのではないでしょうか。

法務省も入管も考えをあらためていない

青木　いまおっしゃったカメルーン人男性の死亡事件にしても、ナイジェリア人男性の死亡事件にしても、いずれもウィシュマさんの事件より前の事案ですから、それを機に社会やメディアがもっと問題視し、何よりも政治が改善策をとっていれば、ウィシュマさんが亡くなる悲劇は起こらなかったかもしれません。

指宿　起こらなかったでしょう。それまで国家賠償請求訴訟があったり、多少は責任追及の声があがったりしても、結局は忘れ去られてしまい、入管の総括としては「いままでどおりで大丈夫」「反省する必要などない」と、そういうことになってしまった。

残念ながらウィシュマさんの事件を受けても、入管の姿勢は変わっていないと思います。これだけ大きな政治問題、社会問題になっても、まだ入管は「これまでどおりにいく」と考えているのではないですか。昨年、入管の権限をさらに強化する入管法の改悪案が出てきたのは、入管がこれまでの死亡事件について反省していないことを表わしています。

青木　2021年の通常国会に提出された入管法改定案ですね。難民認定の申請回数に制限を設け、3回以上の申請者は原則として送還停止を認めない、といった内容でした。ただでさえ日本は難民認定の認定率がおそろしく低く、近年は年間にわずか数十人、申請者の0・4％ほどだというのに、まさに「不法滞在者は追い返せ」という入管の方針を体現するかのようなものでした。
ただ、ウィシュマさんの事件もあって改定案に批判が起こり、さすがに政権や与党も成立を見送りました。それでもまだ法務省や入管庁はこの改定をあきらめていないようです。

指宿　たしかにウィシュマさん事件の影響もあり、また一部メディアや市民の批判もあって２０２１年の国会では廃案になりましたが、２０２２年の通常国会でも提出の動きがありました。なので法務省や入管はあきらめていない。つまり法務省や入管は何も考えをあらためていないし、反省もしていないのではないでしょうか（実際に同趣旨の入管法改定は２０２３年６月の国会で強行成立し、２０２４年６月までに施行される予定）。

強制送還してはいけないという難民条約の本旨

指宿　実際に私自身、ウィシュマさんのご遺族と法務大臣や入管庁長官とも面談しましたが、彼らが何か本気で危機感を抱いているようにも、現状を変えないと入管行政そのものへの不信が払拭できないと考えているようにも感じられませんでした。むしろ何とか現状を抑え込みたいという雰囲気ばかりです。
難民の認定問題にしたって、日本の難民認定制度がせめて先進各国レベルに機能しているのなら、もしかしたら申請回数を制限するという制度を検討しても構わないのかもしれません。

しかし、青木さんがご指摘されたように、日本の難民認定率はわずか0・4〜0・7%程度で、たとえばカナダに比べると約100分の1という惨状です。

そのカナダでは、トルコから逃れてきたクルド人は、ほとんど全員を難民として認定しています。世界の先進各国も同様ですが、一方の日本政府はトルコのクルド人を誰一人として難民認定してきませんでした。2022年5月、札幌高裁で画期的な判決が出て、ようやく1人のクルド人男性が難民と認められましたが。

青木　トルコ国籍の20代のクルド人男性が起こした裁判ですね。男性は難民申請を入管庁に退けられたのは不当だと訴え、不認定処分を取り消すよう求めて提訴し、札幌高裁は「迫害の恐怖を抱く客観的事情がある」と断じました。国も上告できずに確定し、男性はようやく難民と認定されています。

指宿　それがようやく1件目の事例です。

でも、冷静に考えてみてください。日本に来るクルド人はほとんどがニセ難民で、逆にカナダへ行ったクルド人の大半は難民だなんて、理屈のうえから考えてもありえない。つまり、カナダに行けば難民として保護されるけれど、日本では追い返されてしまうということです。

こうした非人道的状況を放置したまま3回目の難民認定の申請は許さずに強制送還だと、これは難民制度の乱用なんだと、そんなふうに入管法を改悪するのは大問題です。難民とは国に帰ったら殺されかねない人たちであって、そういった人を強制送還してはいけないというのが難民条約の本旨であり、日本が加盟する難民条約にもはっきりそう書いてあるんですから。

弁護士である前に活動家

青木　そうして指宿さんは外国人労働者の支援に奔走されているわけですが、いまどれくらいの依頼を抱えていらっしゃるんですか。

指宿　入管関連の事件で10件強、外国人労働者の事件で10件弱ほどでしょうか。以前はそれぞれ何十件もかかえていたのですが、私は基本的に労働事件と外国人事件しか引き受けませんし、労働事件は経営者側からの依頼はすべて断り、基本的に労働者側からの依頼しか受けません。

青木　失礼を承知でうかがってしまうのですが、それで事務所を維持しつつ活動を続けていくのは大変でしょう。指宿さんのような弁護士がいるから、苦しい環境の外国人労働者が辛うじて救われるわけですが、ウィシュマさんはもちろん、苦境に陥った外国人はお金もないでしょうから、ほとんど手弁当になっているのではないですか。

指宿　まあ、別のところで少し稼ぎながらやっています（笑）。労働事件ではある程度の金額の請求が認められることもあるので、そういう場合にはきちんと報酬をいただいて、それでバランスが取れているというか、なんとか事務所を維持している感じですね。

青木　金銭的にはまったく報われない刑事弁護に奔走している弁護士さんと同じですね。そうした活動には本当に頭が下がりますが、ところで指宿さんは「（弁護士）バッジをつけた活動家」を自称されているとか。朝日新聞に先日掲載されたロングインタビュー（同紙２０２２年２

月17日朝刊掲載）もそれが大きな見出しになっていました。

指宿　いまでも私は、弁護士である前に活動家だと思っています。

青木　ご紹介も兼ねてそのあたりも少しうかがいたいのですが、指宿さんは筑波大学の出身で、学生時代から労働運動などに携わってこられたそうですね。そもそも弁護士になるつもりなんてなかったと。

指宿　ご存知のとおり、筑波大は学生管理の風潮が非常に強い大学で、立て看板などは完全にゼロ、仮に立てても警備員が直ちに撤去してしまって、ビラまきすらできませんでした。

でも、それでいいのかと。いや、いいはずがないと。学生や教職員がもっと自由に発言できる普通の大学にしようよと。そういう活動に取り組んだのが出発点です。そして大学を卒業したところから中小企業で労働組合を作る活動に入りました。

青木　まずはアルバイト先だったコンビニエンスストアで組合活動をはじめたとか。

指宿　ええ。そのバイト先のコンビニでは、パートやアルバイトが店長から侮蔑的なことを言われ、それが嫌だからみんなで辞めちゃおうという話をしていました。だったら組合を作って交渉しようと私が言い出し、実際に組合を作って裁判にも取り組みました。それが最初の本格的な労働運動でしたね。

青木　その後、弁護士になられたのはなぜですか。

指宿　そうやって私たちが労働運動に取り組み、加入していた小さな合同労組、いまでいうユニオンですが、そこでいつもお世話になっていた弁護士さんが過労で倒れてしまったんです。

そして病床から「君たちの組合をもう手伝えそうにないから、自分たちの手で弁護士を養成してくれ」というメッセージが届けられた。

青木　それで指宿さんに白羽の矢が？

指宿　私は嫌だったんですが、組合で会議を開いて、誰かに司法試験を受けさせようという話になって、最終的には「指宿くん、君は理屈っぽいからピッタリなんじゃないか」と（苦笑）。最初は「嫌です」と断ったんですが、「いやいや、いままでと何も変わらないよ、弁護士バッジをつけた活動家になるだけだから」と説得され、なるほどそうかと、その時は納得して。

青木　それで弁護士を目指したと。何歳ごろの話ですか。

技能実習生の実態はまるで奴隷労働

指宿　27か28歳ですかね。でも、司法試験がそれほど大変だとは当時あまり知らなかったので、いまから考えれば安易というか、若気の至りでした。勉強自体は面白かったのですが、試験に合格するのは予想以上に大変で、17回目の試験でようやく受かったんです。それが45歳。

青木　17年も!?　その間、いったいどうやって生活していたんですか。

指宿　組合の活動も専従費が出るわけではありませんから、基本的にはアルバイトをしながらの生活です。ですからバイト、組合活動、そして司法試験の勉強と、三足の草鞋《わらじ》を履いた生活です。いまから考えるとかなり無茶だったと思いますが。

青木　そして外国人労働者問題に取り組みはじめたのはなぜだったのですか。

指宿　私は労組活動に携わっていた時代から中国残留日本人孤児の支援活動にも当たっていました。彼らのなかには中国籍の人もいて、入管に収容されている人を支援したり、在留資格のないイラン人の家族を支援したり、弁護士になる前から外国人関連のいろいろな活動に関わってはいました。

そして弁護士になって労働問題をメインに活動しようとしていたのですが、最初に、技能実習生をめぐる弁護の依頼が寄せられたんです。弁護士になってすぐの２００７年、岐阜県の工場で働く実習生の賃金が未払いになっていて、なんとかしてもらえないかと。

事情を聞けば、これが本当にひどい話で、私自身も衝撃を受けました。中国人女性４人の実習生が小さな縫製工場で働いていたんですが、時給３００円の残業が深夜に及び、それが時には深夜12時を越え、朝まで続くこともあるうえ、寝ないで翌日の仕事をはじめることもあって、残業だけで約２２０時間に達する月がありました。それで月の手取りは残業代を除くと２万円ほど。しかも旅券は取り上げられ、休みは月に１度あるかないかだと。

青木　まるで奴隷労働ですね。

指宿　ええ、まさに奴隷労働です。

ほとんど泣き寝入りするしかない

指宿　だから労組で交渉に乗り出したんですが解決せず、私がその件の依頼を受け、労働審判をやってようやく決着させました。

これは私にとっても衝撃的で、日本の一部の悪質な中小企業のひどさは知り尽くしているつもりでしたが、こんなことが現在の日本でまかり通っているのかと。技能実習という名の下で外国人が使い捨てられ、労働者としての権利など一片も守られていないと。こんなことでいいのかと。現在も続く制度を即刻廃止すべきだと考えるようになった原点でもあります。

青木　日本人相手だとさすがにそこまでひどい条件を押しつけられないけれど、外国人だと平然と押しつけ、しかも技能実習生という極めて弱い立場だと逃げられもしない。

指宿　そう、逃げることもできないんです。まず、送り出し機関に借金してきていますからね。当時の中国人だと60～70万円ぐらい払ってきていたはずです。

青木　逃げることもできないし、雇い主や職場を変えることもできない。

指宿　ええ。移動の自由も職業選択の自由もない。どんなに嫌な雇用主でも、そこで働くしかない。

青木　たとえ時給３００円でも、月の残業が２２０時間に達しても、基本的には泣き寝入りするしかないわけですか。

指宿　ほとんどの人が泣き寝入りでしょう。
青木　それに耐えきれずに逃げ出せば……。
指宿　技能実習生は制度上、その職場でしか働けませんから、逃げて、別のところで働いたら、その瞬間から不法就労になります。するともう強制送還の対象となり、捕まれば強制送還になってしまう。
青木　唯一方法があるとすれば、指宿さんのような弁護士に連絡を取り、助けてもらうしか方法がないと。
指宿　いえいえ、それもそう簡単な話ではないんです。
青木　どういうことですか。
指宿　仮にそうやって技能実習生が抗議の声を上げた時に何が起きるかというと、私たちは「強制帰国」と呼んでいますが、雇用主らが強制的に帰国させてしまうんです。

私が担当した中国人女性の技能実習生も、先ほどお話ししたように、まずは労組に加入して雇用主と交渉をはじめました。すると、女性たちが暮らす寮に社長らが朝早くワゴン車で乗りつけ、「さあこれから空港に行くぞ」「荷物をまとめろ」と言って無理やりワゴン車に乗せ、実際に中部国際空港から送り返そうとしました。

彼女たちは抵抗しましたが、当時の実習生は携帯電話の所持を禁止されているケースも多くて、その職場も携帯電話が禁じられていたんですね。ところが1人だけ隠し持っていて、それを使って労組の役員に電話をかけ、「助けてくれ」とＳＯＳを発し、辛うじて帰国を免れました。

てしまうと。

青木　つまり、劣悪な労働条件に耐えきれず、必死に抗議の声を上げたり、指宿さんのような弁護士や労働組合に相談したりすると、その途端に厄介払いとばかりに「強制帰国」させられてしまうと。

指宿　ええ。劣悪な労働環境に耐えられず労働基準監督署に駆け込んだり、弁護士に相談したりして、その直後に強制帰国させられた例は数え切れません。私のもとに駆け込んできた実習生でそういう目に遭ったケースはほかにもあります。

これもやはり中国人でしたが、ある時、私のところに飛び込みで5、6人の技能実習生がやってきました。話を聞いて「大丈夫? 雇い主にバレてるんじゃない?」と尋ねたら、「社長には『東京に遊びに行く』と言ってきたから大丈夫」というのですが、実際はやはりバレていて、わずか1週間後に全員帰国させられました。ただ、私はそれを十分予想していたので、全員に中国での連絡先を聞き、委任状も書いてもらっておいたので、帰国後も賃金支払いなどを求める訴訟を起こすことができました。

私は彼らに「会社から書類にサインを求められても、絶対にサインしちゃダメだよ」と言っておいたのですが、「債権は全部放棄します。今後一切争いません」などという念書にサインさせられました。もちろん、裁判ではこの念書は無理やりに書かされたと主張しましたが、こういう念書にサインをさせられて強制帰国させられるケースも多いんです。

善良な社長を奴隷主に変える技能実習制度

指宿　ほかにもこんなケースがあります。山梨県で働いていた中国人女性の実習生ですが、彼女たちも「強制帰国」させられそうになり、1人は2階にあった寮の窓から飛び降りて逃げ出しました。

飛び降りた時に足の骨を折ってしまいましたが、それでも彼女は逃げたんです。一方、他の女性たちは近所のぶどう畑に一晩身を隠し、通りかかった人に助けられて東京の労働組合まで運んでもらい、そこでようやく保護された。しかも女性たちは暴行まで受けていました。

これについては、日本で働いていた中国人女性がひどい人権侵害を受けたということで、中国のメディアではその年の「十大ニュース」のひとつにもなったそうです。ところが日本ではほとんど報道されていない。

青木　お話をうかがえばうかがうほど、技能実習制度の実態はひどいものですね。

指宿　ひどい。まさに奴隷制度です。アメリカの国務省ですら「人身売買の温床だ」と言って毎年のように日本を批判しているくらいですからね。国連からも繰り返し非難されていますが、この制度がいまに至るまで残されているのは日本の恥だと私は思います。

青木　もちろんそれほどひどい雇い主ばかりでなく、それなりに処遇している雇い主も多いとは思いますが、雇われる技能実習生の側にしてみれば、きちんとした雇い主に当たるかどうかは運次第でしょうからね。

指宿　たしかにそうかもしれませんが、そもそも実習生を奴隷のように使える制度が問題なのです。奴隷のように使わない善良な雇用主が一定程度いたとしても、奴隷のように使える制度だというだけで大問題であり、仮に善良な雇用主だって自らが経営的に追い詰められたらどうなるか。「徹夜してでもやってくれ」「残業代を出せないがやってくれ」という方向に流れてしまうでしょう。

これは外国人労働者支援のＮＰＯを運営している鳥井一平さん（「移住者と連帯する全国ネットワーク」代表）の言葉ですが、「善良な社長を奴隷主に変えていくのが技能実習制度だ」と。私もそのとおりだと思います。

青木　なるほど。

最近は少し風向きが変わってきた

青木　それにしても問題の根は深刻かつ重層的ですね。現にこの国は少子高齢化に歯止めがかからず、中小企業や農業、あるいは介護など幅広い分野で人手不足が深刻化して「労働力」はますます足りなくなっていく。

しかし政治は、特に政権や与党内の右派勢力は「移民」を嫌悪し、それにつながる政策から目を背けている。だから「安価な労働力」として技能実習生や留学生を使い倒し、基本的人権すら認めようとしない制度が生み出され、温存されてしまう。

しかも法務省が牛耳る入管政策は治安対策的な発想に重きが置かれ、難民すらほとんど認めず、劣悪な環境下に置かれた外国人労働者を追い詰め、収容し、時には命まで奪う事例が相次いでいる。ここまで問題が重層的だと、一朝一夕に改善は難しそうです。

指宿　しかも技能実習生などの人権侵害は主に中小企業で起きることが多く、これまで大企業は知らぬふりを決め込んできました。

ただ、最近は少し風向きが変わった面もあって、たとえば２０１１年に国連の人権理事会で決議された「ビジネスと人権に関する指導原則」は重要です。

青木　人権保護の義務に関して企業の責任にも言及し、あらゆる国家と企業に人権の保護や尊重への取り組みを求めた原則ですね。

指宿　そうです。さすがに日本の政府や企業もこれには本格的に取り組まざるを得ないし、最近は大企業が直接雇用していなくとも、供給元やサプライチェーンの末端で人権侵害があれば、大元の大企業も社会的責任を逃れ得ないという考えが徐々に浸透してきて、大企業もいま戦々恐々としています。

特に技能実習制度の上に成り立つ日本企業は国際的にも批判され、投資家から投資を引き揚げられるとか、消費者からそっぽを向かれるとか、そういう危険を感じはじめている。それが技能実習制度などを廃止させる一つの追い風になり得るかもしれません。

青木　加えて日本では賃金が一向に上がらず、最近は急速な円安も進み、日本経済の国際的位相がかつてより圧倒的に低くなっています。なのに現状のように非人道的な働かせ方が横行していれば、日本に来てくれる外国人労働者もどんどん減ってしまうでしょう。

指宿　そのとおりです。

妄想に取り憑かれている場合ではない

指宿　現実の話として、あれほど多かった中国からの実習生はあまり来なくなりました。それは中国経済が飛躍的に発展したのが一番大きいけれど、先ほどお話しした山梨の一件などが大きく報道され、それが一般にも知られたので、日本に実習生として行くのは嫌だという人が増えた面も否めません。

そしていま、実習生の最大の供給国はベトナムですが、こちらでも日本に行った実習生がひどい目に遭っているのは、ＳＮＳなどを通じて情報がかなり流れはじめています。しかも青木さんがおっしゃったように急激な円安に歯止めがかからず、日本が外国人にとって決して働きやすくもなく、暮らしやすくもないという認識が広がってしまいつつある。

ですから今後のことも考えれば、むしろ企業とか、あるいは政府や経済産業省こそが、このままではいけないという危機感を持って動き出すべきでしょう。

いつまでも「ジャパン・アズ・ナンバーワン」といった幻想を抱き、少し門戸を開けば外国人が殺到してしまうから大変だ、というような妄想に取り憑かれている場合ではないのです。外国人を管理一辺倒の対象とし、共生相手とは認識せずに使い捨て、いらなくなったら帰ってくれという制度で日本に働きにきてくれると思っている政府や企業の人たちは、よっぽどどうかしていると私は思います。

青木　そのとおりでしょうね。繰り返しになりますが、現実問題として少子高齢化がますます進行すれば、各産業や介護などの現場で「労働力」は一層切実に必要とされます。ですから今後は拝んでも外国人に来てもらわなければいけない状況になってくる。なのに現状のようなことをしていれば、誰も来てくれなくなってしまう。

指宿　実際に最近はアジアの労働市場でも人の奪い合いが熾烈になってきています。これまで人材の送り出し国だった中国はすでに受け入れ国に転換しつつある。

青木　現に技術者や研究者などは中国の高待遇に惹かれて次々海を渡っていますからね。

指宿　一般労働者もそうなりつつあります。

若い人は他人事とは捉えない

指宿　そうしたなかで日本は人権侵害ばかり繰り返している。私自身は国や経済といったものより、人権を守ることに目を向けて活動を続けている身ですが、国や経済といったものを考えている人たちがなぜもっと危機感を持たないのか、それが不思議でなりません。

ただ、最近は日本でも若い人たちの人権感覚が研ぎ澄まされてきていて、そこにかすかな希望を感じています。ウィシュマさんの事件をめぐっても若い人たち、特に大学生や高校生が関心を持っていて、裁判の傍聴に来たりデモに参加したり、署名活動に加わったりして声を上げるケースが目立ちます。

彼ら彼女らからすると、ウィシュマさんを殺してしまうような国には自分たちも住みたくないんです。そういう社会を支える存在にはなりたくない。また、ウィシュマさんの問題を他人事ではなく、自分たちと地続きの問題として捉えているんですね。

青木　それはなぜですか。

指宿　現在の若い世代にとって、外国人がそれほどイレギュラーな存在ではなく、幼少のころから、また地域社会にも共にたくさん暮らしているからでしょう。そういう人の誰かがウィシュマさんのような目に遭ったらどうするかと、そういう社会には暮らしたくないと、自然にそう感じるようになってきている。

青木　なるほど。かつてのように外国人が珍しくもなく、現在の日本社会には300万人も暮らしているわけですからね。

指宿　だから若い人たちは外国人の人権を他人事と捉えない。かつての入管の幹部のように、こちら側と向こう側に線を引き、切り離し、「煮て食おうと焼いて食おうと自由」といった発想は許容されなくなってきているんです。

青木　もう一点うかがいたいのですが、ウィシュマさんもそうですが、現在の日本では技能実習生のほかに留学生として外国人を数多く迎え入れていますね。これも現実的には「労働力」という側面の方が強いんでしょう？

「管理」だけでなく「共生」を

指宿　日本政府が「留学生30万人計画」を打ち上げたのは２００８年でした。それが本当に適正な数で、学ぶ能力と資力を備えた人びとを受け入れるならともかく、実際は出稼ぎ的な要素が相当に強い。ルールに沿ったアルバイトでは生活できないような人びともやってきている。受け入れる側も、実は労働力として受け入れているところが多い。日本語学校の学生として受け入れ、その後は福祉施設で働くことが条件にされたりしています。

そうした現実を国会も真摯《しんし》に議論せず、なし崩し的に受け入れが進んでいます。これを「サイドドアからの受け入れ」と呼び、オーバーステイの外国人を労働現場で使うことを「バックドアからの受け入れ」などと呼びますが、そうではなく正面玄関から受け入れましょうと。正面から受け入れ、きちんと人権を保障し、将来の共生へと繋げていく、もはやそういう議論をすべき時です。

青木　同時に、入管行政の抜本的改善も急務ですね。治安対策とだけ捉える態勢をあらためる。

指宿　ええ。世界的にも移民政策は二つの側面から成り立っていて、一つは管理の側面、もう一つが共生というか、社会統合の側面。この双方が相まって先進各国の移民政策は成り立っています。

私だって、適正な管理が必要な側面を全否定はしません。いつか国境のない世界が実現するのが理想だとは思いますが、現に国境があるなかで適正な入国管理をやめてしまえとまでは言わない。

ただ、日本は管理だけで共生、社会統合の側面がほとんど語られない。「多文化共生」とか「ダイバーシティ」と口では言っても、現実には掛け声だけで、実態がまったく伴っていない。

ですから、技能実習制度のように、定住化を拒否するような、たとえば家族の帯同禁止などという馬鹿げた制限は即刻やめ、使い捨ての受け入れは早期にあらためるべきです。居続けたい人たちには居続けてもらって、働き続けてもらう。人権に配慮し、適正な管理を行いつつ、共生に向けた政策を本気で進めていく、それが切実に求められているのが現在の喫緊《きっきん》の課題だと思います。

（２０２２年10月10日）

指宿昭一　いぶすき・しょういち

1961年、神奈川県生まれ。弁護士。1985年に筑波大学第二学群比較文化学類を卒業、2007年司法修習終了、弁護士登録（第二東京弁護士会）、暁法律事務所を開設し所長に。主に、労働事件（労働者側）・外国人事件（入管事件）を専門とする。日本労働弁護団常任幹事、外国人技能実習生問題弁護士連絡会共同代表、外国人労働者弁護団代表、日本労働評議会顧問、全国一般東京ゼネラルユニオン顧問。2021年7月、米国務省が発表した世界各国の人身売買に関する2021年版の報告書で、人身売買と闘う「ヒーロー（英雄）」に選ばれた。主な著書に『会社で起きている事の7割は法律違反』（共著、朝日新聞出版）、『外国人技能実習生法的支援マニュアル　今後の外国人労働者受入れ制度と人権侵害の回復』（共著、明石書店）、『外国人実習生　差別・抑圧・搾取のシステム』（共著、学習の友社）、『使い捨て外国人―人権なき移民国家、日本』（朝陽会）、『リアル労働法』（共著、法律文化社）など。

第6章

奈倉有里

世界には決定的に文学が不足している

若きロシア文学者であり、翻訳家でもある奈倉有里さんの著書『夕暮れに夜明けの歌を　文学を探しにロシアに行く』（2021年、イースト・プレス刊）の読後感は鮮烈だった。

インタビュー本編でも詳しく触れているが、奈倉さんは2000年代に入ってロシアへ飛び、国立の文学大学などで5年以上もどっぷりと〝ロシア文学漬け〟の日々を送った。前掲書は、そうやってロシアで暮らした毎日を綴った〝留学記〟とでも評すべき一冊である。

ただ、それはプーチン政権が専制体制を着々と固めていった時期に重なる。だから若きロシア文学者が徹底して目線低く、柔らかな筆致で紡いだ〝留学記〟からは、プーチン政権によるウクライナ侵攻という蛮行が決して突如起きたわけではないことがつぶさに浮かびあがる。

すなわち、強権性を強める為政者によって言論や表現の自由が侵食され、その為政者が偏頗なナショナリズムや排外主義を煽り、〝テロ対策〟などと称して少数者や弱者を排撃し、いつしか為政者や政権に異を唱える者が排斥され、暴走の歯止めは外され、その帰結として隣国への軍事侵攻という暴挙は起きた。それは決して他人事ではないことにも気づかされる。

つまり前掲書は、蛮行に手を染めたロシアの内実と専制政治の愚かさを照射する優れたノンフィクション作品にもなっている。若きロシア文学者の〝留学記〟がそうした秀作にまで昇華したのは、物書きとしての彼女の視線や思考のたしかさと筆力によるものだろう。

実際に会った彼女は、決して雄弁でもなく能弁でもなく、とても控えめでたおやかで、時代遅れの偏見じみた形容を使えば、いかにも〝文学少女〟といった佇まいの女性だった。だが本編を読めばわかるとおり、その佇まいの中にはしっかりと揺るがぬ真っ当で強靭な芯が貫かれている。

青木理（以下青木）　ロシアによるウクライナ侵攻戦が続くなか、奈倉有里さんの著書『夕暮れに夜明けの歌を　文学を探しにロシアに行く』（イースト・プレス）を大変興味深く拝読しました。刊行されたのは２０２１年10月ですから今回の全面侵攻より前ですし、この作品自体、文学者を志して２０００年代初頭にロシアで留学生活を送った奈倉さんの〝留学記〟ともいうべき一冊です。

ただ、それはプーチン政権が独裁色、専制色を強めていった時期にも重なっている。だからその間にロシアでいったい何が起きていたのか、政治や社会の微細な、しかし重大な変化を奈倉さんは低く柔らかい目線で描いていて、ウクライナ侵攻という暴挙が決して突然起きたのではないことがよくわかります。そういった意味では、大変優れたノンフィクションともいえると思います。

奈倉有里（以下奈倉）　ありがとうございます。

青木　しかもまだお若いですね。日本で高校を卒業後、そのままロシアへ行かれたそうですが。

奈倉　そうですね。少し間は空きましたが、日本の大学には行かずにロシアへ行きました。

青木　それはやはりロシア文学への憧れから。

奈倉　そうですね。文学が……。

青木　大好きで。
奈倉　ですね、はい（笑）。特にトルストイが。

文学を通してロシアを知った

青木　でも、日本の多くの大学にも文学部にはロシア文学科などがありますし、とりあえずは日本の大学に進み、卒業後にロシアへ行く方が一般的なコースなのではないですか。
奈倉　日本の総合大学だと、どうしても文学だけ、というわけにはいきませんよね。でも私は、もっと思い切ったことをしてみたかった。若気の至りもありますけれど（笑）。
青木　それでロシアに飛び、ゴーリキー文学大学でどっぷりと文学を学んだわけですか。恥ずかしながら僕は知らなかったのですが、ゴーリキー文学大学というのは国立だそうですね。文学専門の国立大があるというのはいかにもロシア的ですが、最初からそこで学ぶのが目的で？
奈倉　いいえ、最初は私も文学大学のことは知りませんでした。なのでまずはサンクト・ペテルブルグ（モスクワに次ぐロシア第2の都市。ロシア西部に位置し、バルト海につながる重要な港湾都市でもある）に渡ってロシア語の語学学校に入ったんです。
　で、当時はペテルブルグ大学の文学部にでも進もうかなと考えていましたが、語学学校で文学を教えていた先生が「ロシアでも総合大学だと一般教養の授業が多いから、モスクワにある文学大学に行ったらどう？」と勧めてくださって。

青木　なるほど。ところで奈倉さんがロシアに渡ったのが２００２年でしょう。最初に暮らしたサンクト・ペテルブルグはいかがでしたか。

奈倉　ペテルブルグはまだソ連崩壊後の混乱が残っていて、路上ではわけのわからないものを売っている市場などもたくさん残っていましたね。

青木　奈倉さんご自身、１９９１年に旧ソ連邦が崩壊したことや、それによって冷戦体制が終焉を迎えた後のロシア政治や国際関係に興味があったわけではなかったんですか。

奈倉　もちろんソ連崩壊などの経緯は知っていましたが、それもすべて文学を通じてのことでした。

ただ、ロシア文学を読んでいると、そうしたことへの興味も自然に湧いてくるんですね。トルストイもそうですし、特に現代ロシア文学を読んでいれば一層そうです。そういうことを最も思考し、作品に描いていくのが作家であり、文学であるという面もありますから。

また、現地の語学学校や文学大学には、ロシア人でもシベリア出身の子がいたり、ベラルーシやウクライナ出身の子だっていますから、そういうなかで日々生活し、机を並べて勉強していれば、政治について考えないわけにはいきません。

青木　たしかにそうですね。では２００２年にペテルブルグに入り、まずは語学学校で何年ほどロシア語を学んだんですか。

奈倉　だいたい１年強、１年と２か月ぐらいです。

青木　ではモスクワのゴーリキー文学大学に進まれたのは。

奈倉　モスクワに移ったのが2004年の冬です。中途半端な時期だったので、半年ぐらいは国立モスクワ大学の予備科に通って、そこで情報を集めながら受験勉強をしていました。

言論の自由が押しつぶされていった

青木　そうして希望どおりにゴーリキー文学大学に進み、どっぷりと文学にひたって学ぶ日々を送り、日本に帰国されたのが2008年ですね。合計すると6年間になりますが、ロシアでの留学生活は楽しかったですか。

奈倉　ええ、楽しかったですね。

青木　一方でその留学期は、冒頭にも申しあげたようにプーチン政権が急速に独裁色を強めていく時期にも重なります。

あらためて簡単に振り返ってみれば、旧ソ連崩壊後の混乱などを経てプーチンが大統領に就いたのは2000年3月。以後、急速に中央集権化を進め、一時期は大統領職をメドベージェフに譲ったものの、実質的には首相として権力を完全掌握し、2012年の大統領選ではまたも大統領に戻って権力基盤を盤石なものとしました。

そうした時期にロシアで文学を学んだ奈倉さんの著書を読むと、政治が強圧化、独裁化へと突き進んでいく変化が見事に描かれていて非常に興味深い。なによりも今回のウクライナ侵攻が突如として起きたわけではなく、長い時間をかけて強まってきたプーチン政権の専制化の結末だったことがよくわかります。

奈倉さんご自身は、その中でも最も重大な変化はなんだったとお考えですか。

奈倉　著書にも書きましたが、やはり言論の自由が押しつぶされていったことがまずは大きかったでしょう。有力テレビ局のスタッフが総入れ替えされたり、それまでできていた政権批判的な番組が姿を消したり、出版社がモスクワの中心地から次々と追いやられたり……。そうしたことがかなり早い段階から少しずつ進められていきました。

私自身は大学で学んでいましたから、講義や教科書の変化なども肌で感じました。ソ連崩壊後は教科書もかなり自由になっていたのですが、再び国が定めた教科書を次第に使わねばならなくなり、先生たちも教えたいことを教えられなくなっていく。

青木　やはりメディア、ジャーナリズムに対する政権の弾圧と、それによる言論の自由の弱体化、そして〝愛国的教育〟の強化は、実際に現地で暮らされていて肌で感じた重大な異変だったと。

奈倉　ええ。メディア報道の面では有力テレビ局の番組内容が変わったり、報じられるニュースの雰囲気もどんどん変わっていったりして、政府の言っていることをそのまま繰り返すような番組やニュースが増えていきました。その一方でインターネット上の独立メディアなども生まれ、テレビはもう見たくない、見る必要もない、という風潮も強まっていましたね。

私自身は寮生活でテレビを見ない時期も長かったのですが、少なくとも私の周囲ではそういう話題がかなり出ていて、テレビの報道内容がどんどん酷《ひど》くなっていくよねって、あんなもの見るもんじゃないよねって、そういうことは盛んに言われていました。

同じころにはテロも多発して、私がペテルブルグからモスクワに移った年は特にそうでした。

排外主義的な言動が野放しに

青木　テロといえば、チェチェンの分離独立を訴えるイスラム勢力などによる事件が90年代の後半からロシア各地で起こり、２００２年にはモスクワの劇場が武装集団に占拠されて観客や武装集団側を合わせて２００人近くが死亡する事件も起きています。以後もテロ事件は続発したわけですが、奈倉さんがモスクワに移ったのは……。

奈倉　２００４年の１月です。そんな時期でしたから、政府の各種規制や監視活動が急速に強まり、私が毎日乗っていた地下鉄をはじめとして、あちこちで警察官の姿がものすごく増えたのもよく覚えています。

いまから振り返ってみると、テレビ局などに対する規制や弾圧も、同じころから始まっているんですね。そういえばＮＴＶというテレビ局があって、それまでは割と自由な雰囲気が残されていました。

青木　ロシアのＮＴＶといえば、ソ連崩壊後に開局した全国カバーの初の民放テレビだったそうですね。90年代のチェチェン紛争では凄惨な戦場の実態を伝え、政権批判なども厭わなかったのに、オーナーが詐欺や横領の容疑をかけられて国外に亡命し、間もなく政府系ガス会社の傘下に組み入れられてしまったとか。

奈倉　そうです。そのＮＴＶは、プーチンやその周囲の政治家たちを風刺する人形劇番組なども人気を博していました。シナリオを担当するヴィクトル・シェンデロヴィチ（現代ロシアきっての風刺作家、時事評論家）なども頑張っていて。また、野党勢力の力も当時はまだそれなりに大きくて。

青木　それが政権の圧力によってどんどん弱り、ロシア社会は加速度的におかしくなっていったと。

奈倉　そうです。

青木　同時にテロ対策の必要性が声高に叫ばれ、排外主義的な主張も大手を振るようになってきた様子も著書には描かれています。

奈倉　ええ。たとえば２００６年の春、文学大学の近くの地下鉄駅でアルメニア人学生が殺害される事件が起きました。私にとっても身近なところで起きた衝撃的な事件で、国や国籍、ナショナリズムや排外主義について考えさせられましたが、最終的に判明した真犯人は国粋主義団体に共鳴した若者だったんです。しかし彼は警察幹部の息子だったため、どのような処分を受けたのかも判然としません。

また、政治権力が声高に叫んで進められたテロ対策にしても、どこまでが本当の対策なのかはかなり疑問の余地がありました。私自身はそうしたことを専門にしているわけではないので詳しいことは語れませんが、特に中東系の外国人に対する持ち物検査であるとかパスポート検査とか、そんなものばかりが強化され、でも実は警察が単に小遣い稼ぎで罰金を取っているだけのような面も強かった。

その一方で排外主義的な言動は野放しにされ、政府寄りのメディアがそれを垂れ流したりするんですね。そうして「スラヴの共同体」だとか「スラヴの団結」だとか、あるいはロシア正教の重要性などが盛んに唱えられるようになってきました。

青木　ロシア正教について僕はまったく不案内なのですが、ソ連崩壊後はロシア正教の力がかなり強まったんですね。そしてプーチン政権との一体化も強まっていく。

ロシア正教の復権、権力と一体化

奈倉　そうですね。ご存知のとおりにソ連時代は、宗教が公式に力を持つことはもちろんありませんでした。ただ、だからこそソ連時代のロシア正教は人びとの心の寄りどころとなり、ひっそりと信仰されているようなところがあったわけです。

ところがソ連が崩壊し、その体制の問題点が次々に明らかになっていくと、要するに無宗教が悪かったんだと、だから間違えてしまったんだと、次第にそういう理屈になってくるんです。ロシア正教を心の寄りどころにしていた人たちにとってそれは正しく聞こえるわけで、だから多くの人がロシア正教の信者になっていく。
　すると政治権力もそれを利用しないという手はないということでロシア正教と一体化し、まるでロシア正教が国教かのように扱われ、教会の上層部と政治権力が完全に癒着したような状態になっていく。
青木　つまり、ロシア正教側も政治権力の力を頼り、一方のプーチン政権側もロシア正教の求心力を政治的に利用して両者は一体化していったと。
奈倉　プーチンの心のなかがどうなのかは、もちろん私にはまったくわかりませんが、おそらくはお互いの利害が一致したんでしょう。ソ連崩壊後の90年代から2000年代にかけて政治的にも経済的にもすごく混乱した状態が続いたなか、ある意味で新しいイデオロギーとしてロシア正教が復権し、政治権力と一体化していった。
　ですからロシア正教を教えるためだけの大学とか、ソ連時代に作られたピオネール（10歳から15歳の児童の〝自主的〟な参加による共産主義教育の組織）のロシア正教版のような組織とか、そういうものがどんどん作られていくんです。そして、もともとはとても少なかったロシア正教の関係者が増えていく。
青木　どの国でもそうですが、やはり政治権力と宗教の癒着、あるいは一体化は、政治を大きく歪ませますね。戦前戦中の日本はもちろん、最近ではトランプ政権の米国なども例外ではありませんが、プーチン政権のロシアもまたその傾向が顕著だったと。

奈倉　問題なのは、政治に対して批判的なことを言える人であっても、宗教に対して批判的なことを言うのはすごく難しいような状況ができてしまう点です。それがどんどん強まっていき、大学のなかでもそんな風潮が広まりました。

そういったことについては、学校の寮で一緒に暮らした友人ともよく話していました。その子はもともと無宗教の家庭で育ち、そのせいもあって当時の状況に強い違和感を覚えていたんですね。

一方で学問の分野の場合、ソ連時代は宗教的な文脈を無視しがちだったわけです。それでも19世紀に書かれた文学作品なら、宗教的な背景やモチーフが取り込まれた作品はすごくたくさんあって、それまではあまり大っぴらに行われてこなかった宗教的な側面からの分析をもっとやっていこうとか、それがソ連崩壊後に一種の流行のようになっていました。

青木　そうしたさまざまな動きが同時に進行し、そして相互に複雑に絡み合い、ロシア政治の強権化と社会の息苦しさが増していったわけですか。

ここまでの話をざっと押さえておけば、まずはソ連崩壊後、急速に勢力を増したロシア正教と政治権力の癒着、一体化があった。また、その文脈も利用しつつ政権が盛んに煽ったナショナリズムや民族主義、排外主義も強まった。一方で同じころには各地でテロが続発し、その対策として進められた監視強化や警察権力の肥大化も進められた。また、何より重大だったのはメディアや言論に対する政治権力の露骨な弾圧や統制だったと奈倉さんは指摘されました。

そう考えてみると、日本もまったく他人事ではない気もするのですが、奈倉さんの著書を読んでもうひとつ興味深かったのが、やはり同じ時期にロシアで進められた「都市の浄化」とでも評すべき動きです。特に首都モスクワでは行政の意向で都市開発が進み、従来の街の風景が一変してしまったそうですね。

強引に推し進めた美化運動

奈倉 ええ、都市開発とか「美化」などという名目の下、政治権力にとって都合の悪いものが排除されました。それこそ文学系の小さな出版社などはビルの建て替えなどを理由に中心部から追いやられましたし、ほかにもさまざまな国からやってくる出稼ぎのような人びとが営んでいた露店なども一掃されました。

結果、新しいビルが建って街は一見してピカピカと綺麗な感じにはなるんですが、そういった雑多な場所でしか生きられない人びとの行き場所がなくなり、それによって生き場所を失ってしまう人びとも非常に多かった。

青木 それもどこか東京など日本の都市の風景と重なりますね。同じような超大型商業ビルばかりあちこちに乱立し、昔ながらの個性ある雑多な街並みはどんどん姿を消している。街中に綺麗な公園などはそれなりに整備されても、ベンチには真ん中に衝立《ついたて》のようなものが設置されて、あれはホームレスの人たちが寝転んだり長居したりできなくするためでしょう。おそろしく非人道的で無慈悲なデザインです。

奈倉　そうですね。特にモスクワでは2016年に行政などによって「美化運動」が繰り広げられ、多くの路上の売店が一夜にしてほとんど破壊されました。当時のモスクワ市長は古くて色もまちまちな売店を「小汚い」と目の敵《かたき》にし、「撤去要請」という手段では飽き足らず、まるで「駆除！」とでも言わんばかりに潰しにかかりました。

青木　それまではモスクワの街中にはそういった小さな売店がたくさんあったんですか。

奈倉　本当にたくさんありました。あちこちの路上にも、地下鉄に入っていく地下通路などにも、それこそ小さな売店だらけというくらいズラッと立ち並んでいて。

青木　日本で言うと、駅のキオスクみたいなものですか。

奈倉　実際にモスクワでもキオスクなどと呼ばれたりもしていましたが、日本のキオスクのように整然とした感じではありません。飲み物や食べ物を売っている店もあれば、いったい何を売っているのかわからないような、とても雑多なものを売っている店まで本当にいろいろとあって（笑）。

青木　何を売ってるかわからないって（笑）、いったいどんな商品が並んでるんですか。

奈倉　何かのまがい物みたいな玩具とか、いわゆる偽ブランド品のようなものとか、紙で巻いただけのタバコだったり……。そのほかにも季節ごとの出稼ぎのような人たちがスイカやメロンなどをたくさん並べて売っていましたね。そういう店はやはり非正規というか、きちんと営業許可を取っていない店もあったそうです。

もともとモスクワは居住許可を得るのが難しく、地方から出てきた人たちが暮らすのは大変なんです。だからそういった人びとが売店の収入でかろうじて暮らしたり、さまざまな事情や障害があったりして正規な形で働けない人びとが売店で生活の糧を得ていた。コツコツと物を売ってギリギリで暮らしている人たちがたくさんいたんです。

青木　悪法も法とはいえ、モスクワ市長らが強引に推し進めた「美化運動」でそうした売店がほとんど追放され、さまざまな事情を抱えて集まってきた弱者の生活が根こそぎ奪われてしまったわけですか。

奈倉　まさにさまざまな境遇の人たちが、さまざまな事情で厳しい境遇に置かれた人たちが、なんとかギリギリで暮らしていける場所でした。なのに根こそぎブルドーザーで「駆除」されてしまった。あの夥《おびただ》しい数の人びとが、いったいどこへ行ってしまったのか……。

信仰について語れない

奈倉　代わってモスクワの街には超大型の高層ビルや公園が整備され、またも「美化運動」の名の下でイベントごとに町中が派手に飾りつけられ、ロシア国旗などもそこら中に掲げられるようになりました。まるで「国家がこんなに楽しいお祭りをしてやってるんだぞ」といわんばかりのイベントが定期的に行われて……。私が留学で滞在していたころのモスクワとは風景が完全に一変してしまいました。

青木　そうしたロシア社会の変化が、特に宗教と政治権力の一体化や排外主義的な風潮などは、奈倉さんが学ばれていた文学大学の教員や講義にも影響を及ぼしてきたそうですね。

奈倉　ええ。宗教と権力が強く結びつくほど、信仰そのものについて語ることが難しくなります。私の留学中も、当初は普通に信仰の話をできましたが、それがどんどん難しくなっていきました。

また、モスクワなどでは豪奢な装飾を施された正教の教会が次々と建設されました。しかも正教会と政治権力の距離が近くなると、「宗教心への侮辱の禁止」とか「同性愛の宣伝の禁止」といった言論の自由や基本的人権の弾圧につながる奇怪な法律まで次々と作られました。

文学大学でも、ある先生が詩のなかの聖職者の描写を当時の社会の退廃と結びつけただけで「宗教心の侮辱」と捉え、教室を出て行ってしまう学生がいました。

青木　著書に書かれていたものでは、ロシア史の教授が講義名を「祖国史」に変えたエピソードは印象的でした。

また、文学史の教授が「ロシア語の方がウクライナ語よりも文学的に優れている」などと突如言い出したとか。これについて奈倉さんは著書で「根拠も学術性も皆無」と難じたうえで「講義で教授が堂々とそういう発言ができるというのは、社会にそれを許すだけの風潮が広まってきていたということである」と指摘しています。

奈倉　その先生はとても不思議な先生で、もともとは大国主義とか国粋主義的な気配を漂わせてはいませんでした。だから学生たちもみんな驚き、発言に反発した子もいたんです。

言うまでもなく言語を優劣で論じるなどというのは論外なのに、やはり文学の〝序列〟のようなことを考えている先生はいたんでしょうね。そのなかにはウクライナ語をロシア語の方言のようなものだと捉え、どこかバカにするような風潮も確かにありました。もちろん文学を教えている先生がそんなことに無自覚であってはならないのですが。

青木　しかし、そうしたロシア社会の変化の果てにウクライナ侵攻という暴挙があったと考えるべきでしょう。政権によるメディア弾圧と言論の不自由化、宗教と政治権力の一体化、同時に煽られる排外主義、テロ対策の名目で強まった監視体制と警察権力の肥大化、そして景観美化などを名目とする少数者や困窮者の排除、そうした強権的な歪みの蓄積があってプーチン政権は専制性、独善性を強め、ウクライナ侵攻にまで突き進んでいった。

奈倉　そうですね。私は今回の侵攻戦争が起きた最大の要因は、やはり民主主義が潰されていったことが大きいと考えています。そのことについては月刊誌『世界』（岩波書店）がウクライナ侵攻を受けて発行した臨時号に、エカテリーナ・シュリマンというロシアの女性社会学者の論考を私が翻訳して掲載しています。

言い訳を掲げて戦争をする

青木　その論考は僕も読んでみました。『世界』の2022年4月臨時増刊号に掲載された〈戦禍に社会科学はなにができるか〉ですね。エカテリーナ・シュリマンは独立系放送局『モスクワのこだま』で政治コメンテーターも務めていたとか。

奈倉　そうです。そしてその講演録でシュリマンは、なぜ今回の侵攻戦が起きたのかを語っているのですが、「強大な権力を握った人間が、手にした武器を暴発させた」というのが一番大きい、と彼女は言うんです。

どういうことかといえば、権力が今回暴走した原因は、その政治構造、社会構造のなかで権力に対する抑止機能が十分に利かなくなっていること、要するにブレーキの機能が不十分な構造になってしまっていたことにある。逆に言えば、ブレーキの機能をひとつずつ外していくような作業が長い間かけて行われてきたことになります。

その先にいま起きていること（ロシアによるウクライナ侵攻）があるのであって、それについてのロシア政府の主張、プーチン政権の主張というのは、これはあくまでも「言い訳」にすぎません。

青木　NATO（北大西洋条約機構）の際限なき東方拡大が原因であるとか、ウクライナ東部地域にいるロシア系住民を守るためだとか、そういったプーチン政権側の主張などは所詮、すべて言い訳にすぎないと。

奈倉　そのとおりです。要するに今回の侵略戦の一番の原因は、権力者がそういった「言い訳」を掲げて戦争をしたくなった時、実際にできてしまうような政治体制、社会体制を作ってきてしまったという、それに尽きるんではないかと私は思うんです。

青木　まったく同感ですし、あらためて僕たちの社会は大丈夫かを省みる必要も感じますが、それはともかくとして、ロシアにもその間、政治権力の暴走を制御するためのブレーキ機能、まさにメディアなどはその代表格ですが、そういったブレーキ機能を次々壊してきたことを問題視した人びともいたわけでしょう。

奈倉さんの著書を読んでも、大学の先生のような知識人はもちろん、学生にもそうした政権の動きを批判的に捉えていた人はたくさんいた。なのにブレーキを次々外す作業がこれほど徹底して進められてしまったのはなぜですか。

奈倉　難しいお尋ねですが、やはり大抵の人がどこかで、なにかを人質に取られている、そういうことが大きいのかもしれません。

たとえば、反抗したら職を追われてしまうかもしれない。職を追われるというのは、すごく大きいですよね。メディアにしても、政権が幹部を総入れ替えしたのは、それ自体も大問題ですが、そういうことが起こりうるという恐怖を広げる効果も狙ったのでしょう。

だから自分たちにも同じことが起こりうると怯《おび》えた人びとは、とりあえずは逆らわずに大人しくしておこうと考えてしまう。それでも何かを語りたい、あるいは語ろうとする人びとがいても、実際に語れるような場がどんどん限られていく。それでも語りたい人たちはやはり何かを語ろうとするわけですが、それがどんどん閉ざされ、語れる場がせいぜい数か所とか、１か所程度になってしまう。

大学の先生も同じです。日本などと比べると、大学の先生はやはりお金がないんですね。ほんのちょっとしたことで食べていけなくなってしまう先生が多くて、もしもの時のために備えて別荘で鶏や野菜を育てたりしている人もいました。それでなんとか自分の言いたいことを言って、結果的に職を追われたら自給自足的な生活でしのごうと。

それぐらいの覚悟がないとモノが言えないような状況があって、それが本当に長いことじわじわと続いて締めつけられてきた。そうなってしまうと、みんな疲れてしまう。相当なエネルギーがないと反抗なんてできない。

政府批判者を排除する外国エージェント法

青木 お話を聞いていて思い出してしまうのは、ロシアのテレビのことです。
政権の圧力や介入で完全に牙を抜かれたというロシアのテレビ局ですが、それでもロシア軍がウクライナに全面侵攻した直後、国営テレビの女性ディレクターが「ＮＯ ＷＡＲ」「プロパガンダに騙されないで」と大書した紙を掲げて生放送中のニュース番組のスタジオに乱入し、世界的な話題になりました。

この女性ディレクターは、欧米メディアの取材にこう語ったそうです。「黙っていられなかった」「戦争を終わらせないといけない」と。でも、「(自らの) この行動で家族の生活を壊してしまった」とも漏らしていたとか。

そのしばらく後に同じ国営テレビでパリ特派員を務めていた女性記者が辞職し、欧米メディアの取材に応じた際にこんな趣旨のことを語ったそうです。「ロシアのテレビ局で働く多くの同僚はリベラルで、プーチン政権に反対意見を持っている者もたくさんいるが、高齢の親や家族を養わねばならず、囚われてしまっている」と。だから「私と同じようなことはなかなかできない」と。


奈倉　自分が何か行動すれば、家族にまで被害が及んでしまう。そこまでされるとなかなか行動することはできなくなってしまうでしょう。

美術館や博物館のようなところもそうでした。たとえばトップの人物を解雇し、その解雇に反対した人も全員解雇して、反対しなかった人だけが残される。

大学はさすがに教員を全員解雇すれば代わりがいなくなってしまいますが、ピンポイントで人を入れ替えたりすることは行われました。政府への賛同を問う署名を書かせたりして、それに応じなかった人を除外する。あるいは、なにか不都合なことが身の上に起きてしまう。

青木　なんだか日本学術会議の会員任命拒否問題が想起されますが、そんなことが繰り返されれば、自らの身や仕事を守るために知識人も発言を控えるようになってしまうでしょう。

実際に奈倉さんは、留学や翻訳の仕事などを通じて多くのロシアの知識人、作家や大学教授らの知人や友人がいると思いますが、いかがですか。奈倉さんが敬意を抱いて交流している人びとは、おそらく多くがプーチン政権やウクライナ侵攻に懐疑的でしょう。それでもやはり思っていること、考えていることを自由には表明できない状況ですか。

奈倉　私の知り合いで今回のウクライナ侵攻を支持する発言をしている人は1人も見たことがありません。ただ、それをおおっぴらに言えるかといえば、そんなことはまったく言えませんよね。

かつては政府に対する反対意見とか、SNSやフェイスブックなどを通じてさまざまな社会的発言をしていた人でも、いまは口を閉ざしてしまったり、人によっては（SNSなどの）アカウント自体を消してしまったケースも多くあります。メールなどでの個人的なメッセージのやり取りにしても、ちょっとでも危ないような内容は控えている人も多くいます。

青木　そういう意味でいうと、先ほど奈倉さんが紹介してくれた社会学者エカテリーナ・シュリマンなどは、その論考を『世界』増刊号に翻訳掲載することなどを含め、相当に勇気ある行動をとっていることになります。

奈倉　実を言うと彼女は現在、ドイツにいるんです。

というのも、もともと彼女は『モスクワのこだま』という独立系ラジオ局で政治コメンテーターを務めていましたが、その『モスクワのこだま』はウクライナ侵攻直後の今年3月、「偽情報を流している」という理由で検察の捜査などを受けて解散に追い込まれました。

その後、『世界』増刊号で紹介した論考を発表した際はまだロシアにいたのですが、今年4月にはドイツへと逃れ、現在はドイツに滞在しています。そしてロシア政府は彼女を「外国エージェント認定」、つまりスパイ認定してしまいました。

青木　いわゆる「外国エージェント法」ですね。政権批判者を排除するためにプーチン政権が導入し、人権団体や市民団体、メディアなどを徹底的に弾圧しているとか。

奈倉　ええ。それによってシュリマンもはやロシアには戻れなくなってしまいました。そうしてロシアで名の知られた知識人、メディア関係者の多くは外国に逃れ、現在はドイツなどにかなりの人が集まっています。まるでロシア革命後の亡命社会のように。

青木　それでいうと、現代ロシアを代表する作家のミハイル・シーシキンも同様ですね。

戦争肯定者は1人もいない

青木　つい先日、シーシキンは日本の朝日新聞に長文の原稿を寄せ、「ロシア人であるということに苦痛を覚える」と吐露してプーチン政権を辛辣に批判していました。

また、奈倉さんの著書にもシーシキンの訴えが長く紹介されていたのでとても印象に残っています。次のような一文でした。〈気の遠くなるような人類の歴史のなかで、いったい「国を愛せ」という呼びかけの末に、どれほどの命が犠牲になっただろう〉

これほど真っ当なことを発言できるのはなぜかといえば、シーシキンもまた現在はスイスで暮らしているんですね。

奈倉　シーシキンの場合は95年の段階でスイスへ移住し、それからほとんどの期間をスイスで暮らしています。それでも２０１１年から２０１２年にかけて、プーチン政権への反対運動が高まった際、一度はモスクワに戻ってきていますが、その後また弾圧が強まり、とてもじゃないけれどロシアにいられないということで、以後はずっとスイスに。

一方で最近までロシアにとどまり、しかしついに離れてしまったのは、現代ロシアを代表する作家リュドミラ・ウリツカヤです。彼女も今年3月、ドイツのベルリンに移住しました。これまで何も恐れずに発言し、ロシアのウクライナ侵攻直後に反戦の声明まで出していたのに、息子に説得される形で出国せざるをえなかったそうです。

つまり、作家にしても知識人にしても、言うべきことを言うためには国外に逃れるか、黙るかの道しかなくなってしまっている。

青木　ウリツカヤといえば、ベルリンに逃れた後なのか直前なのかは不明ですが、3月に共同通信の書面インタビューに応じ、今回のウクライナ侵攻について「ロシアの歴史における最悪の汚点のひとつ」「痛み、恐怖、恥――それがいま抱いている感情だ」とまで述べていたのが記憶に残っています。

奈倉　そのウリツカヤはこうも言っています。「ロシア国内の知り合いのなかに、この戦争を肯定している人は１人もいない。けれどもその声はマスコミの大きな声にかき消されてしまっている」と。
そう考えると、ロシアの世論調査機関の調査結果を日本のメディアなどが引用してしばしば報じていることにも疑問が湧きます。「独立系調査会社」の調査結果を引用しつつ、政権やその政権によるウクライナ侵攻を「圧倒的多数のロシア国民は支持している」と盛んに報じていましたね。

青木　そんな世論調査には信憑性がないと。

奈倉　ロシアの世論調査機関はそもそも少ないんです。現存するのは主に3つで、このうち日本を含む各国のメディアが依拠している情報源は「独立系調査機関」とされるレバダセンター。ここも現在、ロシア政府から「外国エージェント」のレッテルを貼られていて、それだけ見ると政権におもねる結果を捏造しそうもないようにも思えます。

ただ、これまでレバダセンターが実施した世論調査を見ると、ひどく誘導尋問的な質問もあるんですね。また、ウリツカヤが語っていたのと同様、私も知っている限りの友人、知人のなかでこの戦争を支持したり、肯定している人は1人もいません。

となると、いったいこの「圧倒的多数」という人はどこにいるんだろうって。統計の問題点については電子ジャーナル『チェマダン』に詳しく書きました（同ジャーナルのサイトからPDFで無料ダウンロード可能）。

「他者への断罪性」が攻撃性に

青木　なるほど、と思いつつ、僕は逆にプーチン政権の支持率や侵攻戦の支持者が多いのは、どこか理解できるような気もするんです。もちろん政権の締めつけによって人びとが自由な意見を発せない状況に追いやられているのは事実でしょうし、政府に批判的な意見を表明するだけで不利益を受けかねないのは、これまでのお話にも出てきたとおりだと思います。

ただ一方、戦争というのは古今東西、また政治体制の左右を問わず、どこの国でもナショナリズムを強烈に高めます。しかも、そこに大義があるか否かは別としても、最前線では自国の若い兵士たちが血を流して闘い、命を落としている。彼らにも両親がいて、家族がいる。

そういう極限の状況下、人びとが時の政権や戦争を支持してしまうのは、ある意味で理解できなくもない。戦前戦中の日本だって、もし世論調査が存在していれば、おそらくは似た状況だったのではないでしょうか。

奈倉　とはいえ、どこまで実態を把握しているか怪しい世論調査の結果が発表され、それをメディアなどが大きく報じることは、現在においてはまた別の危険性をはらみます。

青木　というと？

奈倉　他者への断罪性です。「ロシアの人びとはこんな酷い政権を信じている」「つまり騙されやすいんだ」「考える力がないのではないか」といったイメージが広がり、その国の人びと全体があたかも自分たちより一段劣った存在かのように見ることを可能にしてしまう。これはある意味で非常に便利な、浸透しやすい性質のもので、それは容易にその国の国籍に属するすべての人に対する攻撃性にもつながります。

青木　たしかに日本でもロシア人に対する無神経な攻撃的現象がいくつも起きましたからね。「不愉快だ」という乗客の声があったという理由で駅の案内表示からロシア語の表示を消してしまったり、ロシア料理のレストランにさまざまな嫌がらせがあったり。そのレストランにはロシア人はもちろん、ウクライナ人なども一緒に働いたりしているんですけれどね。

　それにしても、ロシアの文学を心から愛し、ロシアの文学大学でじっくりとそれを学んできた奈倉さんとしては、複雑な想いもあるのではないですか。そんなロシアが……正確にはロシアの専制的な為政者の仕業ですが、隣国のウクライナに武力侵攻し、数多くの命を奪う惨禍を引き起こしている現実に。

奈倉　そうですね。ただ、その一方で私の友人でもあるロシアの人びとも苦しんでいます。

　また、ロシア文学というのはむしろそういうことの本質をずっと語ってきたところがあるんですね。社会をそういうふうに悪くしてはいけないとか、どういうところから少しずつ悪くなってしまうのかとか、そうしたものの本質を見てきたのが文学です。

　そして人間の思考や活動を考える際、なにかの括《くく》りのようなものは常に必要とされても、その括りが国や国家というものであることに無自覚な人が多すぎる感じもします。

　たとえばウクライナの地名をウクライナ語の発音に基づく表記に変えようといった動きは日

本でもあったわけですが、逆にウクライナでロシア語を母語とする人たちはいま非常に困っている。

青木　国や国家という括りで物事を白黒に二分すると、そのあわいのなかで生きている人びとは一層苦しい立場に追いこまれてしまうと。

奈倉　ええ。実は２０１４年にモスクワで翻訳者会議があって、私も参加したんです。世界中からロシア文学の翻訳者や出版エージェントが集まり、ロシアの作家や研究者も招いて、さまざまな発表や講演を通じて交流する貴重な機会でした。

世界には文学が足りない

青木　２０１４年というと、ウクライナのクリミア半島をロシアが併合した年ですね。

奈倉　そうなんです。ですからセッションや質疑応答でも時事的な問題に触発された議論が盛んに行われ、その大半は翻訳者にとっても大変切実な課題で、有意義な議論もたくさんありました。

ただ、そういった問題になると必ず「この作家はウクライナの作家であってロシアの作家ではない」とか、「クリミアはロシアのものかウクライナのものか」といった話に引っ張られる人がでてきて、そこで突きつけられる奇妙な白黒の世界に参加者たちがしばしば呆然としていました。
でも、この時のロシア訪問で私は、先ほど紹介したウリツカヤの自宅に招かれ、彼女の言葉に救われました。彼女は私にこう語ってくれたんです。「国や政府とは、その行政単位に暮らす人びとや、その国にかかわる人の人権を守るためだけに存在する最低限の必要悪であるべき」だと。

青木 なるほど。逆にいえば僕たちは、国や国家の括りを過大視し、その国に暮らす人びと全体を規定するような愚を犯してはならない、ということでもありますね。いくらロシアによるウクライナ侵攻が不当な暴挙であっても、ロシアは悪でウクライナは善だという単純な括りを、ましてやそれぞれの国の人びとをその括りのなかに押しこめてしまうべきではない。

最後にもうひとつ、奈倉さんにうかがいたいことがあったんです。『夕暮れに夜明けの歌を』のなかで書かれていた、とても印象深い一文についてです。一番最後にあたる章で、奈倉さんはこう綴っています。

〈文学の存在意義さえわからない政治家や批評家もどきが世界中で文学を軽視しはじめる時代というものがある。おかしいくらいに歴史のなかで繰り返されてきた現象なのに、さも新しいことをいうかのように文学不要論を披瀝する彼らは、本を丁寧に読まないがゆえに知らないのだ——これまでいかに彼らとよく似た滑稽な人物が世界中の文学作品に描かれてきたかも、どれほど陳腐な主張をしているのかも〉

まったくそのとおりだと僕も深く頷きますが、これと同じような風潮は最近の日本でも高まっていますね。

奈倉　日本もそうですし、ロシアでもそうです。文学を軽視する風潮が強まっていて、たとえば政治に携わっている人びとが文学作品をぜんぜん読んでいない。また、作家や文学者の発言を少し特殊なものとして括る傾向もある。社会に対してさほど効力がないものとみなすような風潮が、世界中いろいろなところで起きています。

　おそらくは国や政治権力者にとっては作家や文学というものが煙たい存在、面倒くさい存在なのでしょうが、文学こそが政治や社会の危うい変化にいち早く気づくことはしばしばあります。いえ、むしろ文学こそが政治や社会の根本について人を思考させる力を持っていて、それは非常に大事なもののはずなんです。

青木　それについて奈倉さんは著書で続けてこう書いていらっしゃいますね。

〈文字が記号のままではなく人の思考に近づくために、これまで世界中の人々がそれぞれに想像を絶するような困難をくぐり抜けて、いま文学作品と呼ばれている本の数々を生み出してきた〉と。〈だから文学が歩んできた道は人と人との文脈をつなぐための足跡であり、記号から思考へと続く光である〉と。そして〈もしいま世界にその光が見えなくなっている人が多いのであれば、それは文学が不要なためではなく、決定的に不足している証拠であろう〉と。

　そう考えると、政治や社会が文学を軽んじ、言論の自由がやせ細り、一方で事大主義や排外主義が横行するのは、その国や社会が危うい方向に向かっている重大な兆候ということでもあるのでしょう。もちろんそれは決してロシアだけの話ではなく、

（2022年7月10日）

奈倉有里　なぐら・ゆり

1982年、東京都生まれ。早稲田大学講師。専門はロシア詩、現代ロシア文学。2002年からペテルブルグの語学学校でロシア語を学びその後モスクワに移住、モスクワ大学予備科を経てロシア国立ゴーリキー文学大学に入学。2008年に日本人として初めて卒業し、「文学従事者」という学士資格を取得。東京大学大学院修士課程を経て博士課程満期退学。博士（文学）。2021年、博士論文『アレクサンドル・ブローク　批評と詩学―焼身から世界の火災へ―』で第2回東京大学而立賞を受賞。雑誌「世界」「すばる」などでロシアの動向について、ジャーナリスティックな文章も発表している。訳書にミハイル・シーシキン『手紙』、リュドミラ・ウリツカヤ『陽気なお葬式』（共に新潮社）、ボリス・アクーニン『トルコ捨駒スパイ事件』、スヴェトラーナ・アレクシエーヴィチ『亜鉛の少年たち』（共に岩波書店）、サーシャ・フィリペンコ『赤い十字』、『理不尽ゲーム』（共に集英社）など。

第7章 × 斎藤幸平

資本主義でない世界を徹底して考える

２０２０年に刊行された『人新世の「資本論」』（集英社新書）が異例の大ベストセラーとなり、一躍世に登場した気鋭の経済思想家・斎藤幸平さんについても、ここでくどくどと紹介する要はないと思う。「脱成長」「コモン」「自治」。いささか突飛でラディカルにも感じられる訴えに一瞬戸惑いを覚えたとしても、富の偏在と格差拡大の弊害がとどまるところを知らず、さらには地球規模の気候変動によって世界各地で大規模な自然災害が頻発し、このままでは人類の存続さえも危ぶまれる現在、こうした訴えが若きマルクス研究者から発せられるのは時代の必然にも思われる。

まして冷戦体制の崩壊から30年以上の時が経ち、勝利に奢った資本主義の暴走と矛盾が極に達したかに見える現状を考えればなおのこと。多くの人が同じような懸念と不安を深刻に共有しているからこそ、やや難解な経済思想書がこれほど広く熱心に読まれたのだろう。

このインタビューはその刊行直後の２０２０年に行われ、当時は大阪市立大に籍を置いていた斎藤さんはいま、准教授として東京大に移籍し、東京に居を移している。

だが、象牙の塔などに閉じこもることは一切なく、各種の市民団体や貧困者支援の運動に直接関わり、各種のメディアやテレビにも出演して縦横にメッセージを発し、アンガージュマン精神を横溢させながら思想と実践の一致を懸命に試みている。

それが近未来にどのような果実をもたらすか、矛盾が極まった資本主義からの脱却を訴えはじめた世界各国の新世代に比べ、その気配がまったく薄いように思われるこの国にも新たな潮流を築きあげていくのか、インタビュー本編を読みながら一緒に思索を深めていただければと思う。

青木理（以下青木）　斎藤さんが最近出された『人新世《ひとしんせい》の「資本論」』（集英社新書）を読み、ぜひお目にかかりたいと思って大阪までうかがいました。

斎藤幸平（以下斎藤）　光栄です。ありがとうございます。

青木　とにかく大変興味深い内容でした。簡単にまとめるのは難しいのですが、世界中で深刻化する経済格差にせよ富の偏在にせよ、あるいは地球規模の気候変動問題にしても、現在の資本主義体制では乗り越えることはできないと斎藤さんは指摘されています。

また、まだ30代前半という若さなのにアメリカやドイツで研究を続けてきた斎藤さんは、晩年のカール・マルクスの思想を土台としつつ、「脱成長コミュニズム」こそがその解決法になり得るのではないかとも訴えていますね。このあたり、あらためて少しわかりやすく解説していただけませんか。

斎藤　はい。この連載のタイトルにもなっている「日本人と戦後70年」にからめて言えば、戦後の日本は高度経済成長を成し遂げ、自動車であるとかクーラーであるとか、いろいろなものを手に入れて豊かになりました。これ自体を否定するつもりはもちろんなくて、そのおかげで僕たちは便利で快適な生活を送っているわけです。

ただ、他方でこの豊かな生活のコストというのがしばしば見えなくなっています。それは僕たちが労働力にせよ、さまざまな資源やエネルギーにせよ、いろいろな形ですべてを「外部化」してきたからです。

青木　斎藤さんは著書のなかでも「外部化社会」の問題点を指摘されていますね。グローバル化などによって利益を受ける先進諸国を「グローバル・ノース」、そして収奪される領域やその住民を「グローバル・サウス」と位置づけ、「先進国は、グルーバル・サウスを犠牲にして、『豊かな』生活を享受している」と記されています。

斎藤　ドイツの社会学者、ウルリッヒ・ブラントとマルクス・ヴィッセンは、「グローバル・サウス」からの収奪に基づいた先進国のライフスタイルを「帝国的生活様式」と呼んでいます。つまり、「グローバル・ノース」における大量生産、大量消費型の社会です。

それは先進国に暮らす僕たちにとっては豊かな生活を実現してくれるものですが、実は「グローバル・サウス」という「外部化」された地域や社会集団から収奪することで成立しているわけです。

成長信仰を相対化する「脱成長」とは

斎藤　ところが、急速に経済発展した中国やブラジルなどを含め、資本主義体制が世界中を覆い尽くした結果、「外部化」は限界に達しつつあります。これまで先進国に暮らす僕たちは経済成長すればどんどん豊かになり、いろいろな夢も実現できると思っていたかもしれませんが、「外部化」そのものが難しくなってしまってきている。

そして足元の日本の現状を見れば、モノだってもうそれほど売れないし、売れなければ価格競争が激化し、どんどん安くつくろうという方向の力が働く。

少しでも安くモノをつくろうとすれば、労働者の賃金を削るのが最も手っ取り早いんです。その結果、日本に暮らす僕たちの多くも豊かな生活ができなくなりつつある。すでにそう感じている人もたくさんいるでしょう。

さらに深刻なのは気候変動問題です。日本でも近年頻発している気象災害にせよ、あるいは今回の新型コロナウイルスのパンデミックにせよ、人類の活動がもたらした矛盾が眼前の脅威となって世界中のあちこちで可視化されています。

だというのに世界中がさらなる経済成長を追い求め、これを技術で乗り越えようというのは非現実的なのではないでしょうか。

実際にこの20年ほどは矛盾ばかりが噴出し、事態が好転する兆しはありません。日本では先日、菅政権が2050年までの脱炭素化（地球温暖化の原因と指摘されている二酸化炭素の排出量を実質ゼロにすること）という目標をようやく示しましたが、それまでだってあと30年もかかり、僕たちがいままでどおりのやり方でいくのはリスクが大きすぎる。

そうではなく、経済成長こそが絶対必要だという考えを相対化し、脱成長も含めた経済理論、あるいは資本主義ではない政治・社会体制を積極的に取り入れる方向へと僕たちの思考と生活をアップデートしていかなくてはならない。そんな問題意識がこの本を書いた最大の動機です。

青木　なるほどと思いつつ、僕は経済学にとんと疎《うと》くて申し訳ないのですが（苦笑）、経済成長なき社会発展などというのが果たして可能なのでしょうか。

斎藤　脱成長などと言うと、経済成長を急速にストップさせてGDP（国内総生産）を積極的に減らしていこうというイメージを抱き、「貧しい生活」とか「清貧な暮らし」を思い浮かべる方が多いかもしれません。

ただ、そういう議論は結局のところGDPしか見ていないんです。脱成長という言葉で僕が訴えたいのは、そういうことでは必ずしもなくて、現在の成長信仰のようなものを相対化する必要があるということです。

現実に僕たちは経済成長をひたすら追い求めてきて行き詰まり、構造改革だとかいろいろなことをやった結果、むしろ人びとは貧しくなってしまっている。一方でひと握りの富裕層はこれまで以上に富を貯めこんでいる。

MMTが目指すのは結局、経済成長

斎藤　そうではなく、たとえば地球環境の保護であるだとか、普通の労働者の生活をもっと安定させるであるとか、そういうことをもっともっと重視していく。GDPなどに必ずしも反映されないようなことを重視する経済理論であり、平等な社会をつくっていこうということなんですね。

その際は、再生可能エネルギーなどに積極投資する必要はあるでしょうし、教育や医療・介護とか文化・芸術産業などにはもっとお金を使っていく必要があります。

つまり、脱成長の社会と言っても、そうした分野ではある種の成長が今後も当然出てきます。みんなが単に貧しくなるわけでは決してなく、ＧＤＰとか企業業績だけを物差しとする経済はスローダウンさせる。むしろ僕たちが本当に何を欲し、本当に何をつくりたいのか、という方向に思考を転換し、歩みを進めていく。そして本当の意味での持続可能な社会を構築していく。たとえば、ユニクロは日本の企業ですが、どんどん使い捨てられていく格安衣料品を大量生産していくのは、さまざまな面から明らかに良いことではありません。しかもブラック企業だと批判されている。これは別にユニクロに限った話ではなく、現在の社会はあまりにも過剰な消費主義に飲み込まれ、価格競争に洗脳されてしまっているところがあります。

この30年ほどで当たり前のようになりましたが、コンビニエンスストアやファストフード店などが24時間開いていて、いつでもいくらでも食べられるなどという生活は本来、まったく必要ないことです。こうしたものは、有限な地球に合わせてスローダウンさせていく必要がある。

脱成長という観点から考えると、反緊縮とかＭＭＴといった最近流行の主張というのも、ものすごくラディカルに聞こえるかもしれませんが、彼ら彼女らが批判している人たちと発想があまり変わりません。

青木　ＭＭＴ（Modern Monetary Theory＝現代金融理論）は１９９０年代から米国の経済学者が唱えはじめた理論ですね。独自の通貨を持つ国の政府は通貨を際限なく発行可能で、財政赤字など気にせずに大規模支出をして一向に差し支えないのだと。
　経済学の常識からは外れているから主流の経済学者や政財界から異端視され、僕も激しく首を傾げますが、緊縮財政路線が貧困層を苦しめてきたと捉える欧米や日本の一部左派などの間で熱狂的な支持者もいるようです。
斎藤　ええ。国の借金など気にする必要はない、一般の家計と国は違うんだから破綻することもない、といった議論というのは、一見すると常識破りな主張に聞こえますが、他方でそれが目指す先というのは結局のところ経済成長です。みんなにもっとお金を配り、もっとみんなにいろいろなモノを買ってもらって、積極的に経済を回してどんどん大きく繁栄していきましょうという結論になってしまう。僕はそこに最も違和感を覚えます。
青木　つまり従来型の、つまり主流派の経済学が絶対視する成長信仰も、反緊縮派が訴えているＭＭＴ的な異端理論も、それで経済を回していこうという点では同じ穴の狢《むじな》にすぎないと。
斎藤　方法が違うだけで、目指すビジョンは似たようなものです。とにかく資本主義経済を回し、最終的にはトリクルダウン的な考えに行き着いてしまう。

マクドナルド的な消費文化をあらためる

斎藤　しかし、単に経済を回していくことが、本当にみんなの幸せにつながるのでしょうか。現にいま日本政府が旗を振っている「GoTo」キャンペーンだって、それで感染が拡大してしまったら元も子もない。それ以上の問題として、地球環境や自然環境をさらに破壊していったら、僕たちがいま当たり前のように享受している生活さえもできなくなってしまうのです。

　したがって、やはりこれまでの価値観や生活スタイルをあらためる必要がある。この30年ほどで急膨張してきた資本主義にブレーキをかけ、「人新世」の状況を正面から見つめ、あらためていかねばならない。

青木　著書のタイトルにもなっている「人新世」というのは……。

斎藤　オゾンホール研究で1995年にノーベル化学賞を受賞したパウル・クルッツェンの造語です。人類の産業革命後の経済活動が地球に与えた影響があまりに大きいため、クルッツェンは地球が新たな年代に突入したと指摘し、人類の活動が地球の表面を覆い尽くして生態系や気候に影響を及ぼすようになった時代を「Anthropocene＝人新世」と名づけました。

青木　そうした「人新世」の時代、特に気候変動問題では根本的な経済システムの変革が必要だというわけですか。

　斎藤さんは著書のなかで「気候ケインズ主義」という言葉を使って最近の環境保護のムード

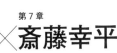

も批判的に捉えていますね。たとえばスーパーのレジ袋やプラスティック製のストローをやめるだとか、あるいは電気自動車を広く普及させようとか、ケインズ的な資本主義の修正ではおそらく間に合わないだろうと。

斎藤　ええ、間に合わないでしょう。

青木　富の再分配政策も同様に深刻な格差や富の偏在を解消できないということですか。

斎藤　まずは気候変動問題がわかりやすいと思います。レジ袋を例にとれば、その代わりにマイバッグが推奨されていますが、そのマイバッグが次から次へと商品化されたり、企業のキャンペーンで無料のマイバッグが配られたりしている。このコラボ商品を買ってくれればマイバッグをプレゼントする、なんていうキャンペーンまで行われたりしていて、こんなことをやっていたらみんながいくらマイバッグを使っても意味がありません。

マイバッグに限らず、最近もてはやされている「ＳＤＧｓ（持続可能な開発目標）」というようなスローガンは、すぐに企業の「やってます感」を演出するキャンペーンなどに利用されてしまうリスクがあります。

マクドナルドは現在、フィレオフィッシュが「持続可能で環境に配慮された漁業で獲られた魚を使用している」と訴えていますが、ならば他のハンバーガー商品はどうなのか。フィレオフィッシュが「ＳＤＧｓ」だからマクドナルドを思う存分食べていいのか。

そうではなく、僕はやはりマクドナルド的なファストフード文化、消費文化そのものをあらためていく必要がある段階にきていると思うんです。なのにフィレオフィッシュは

「ＳＤＧｓ」だから大丈夫という理屈で本質が見えなくなってしまうのは危険であり、むしろ有害です。

結局は場所を変えての搾取

斎藤 電気自動車も究極的には同じことです。現在のガソリン自動車が世界中で膨大な量の二酸化炭素を排出しているのは間違いありませんし、各国の政府は低炭素車両の普及に向けた積極支援を行うべきでしょう。

また、ガソリン自動車をすべて電気自動車に置き換えれば巨大な市場と雇用が生まれます。これこそ経済成長と環境対策の両立になりますが、そうそう甘い話があるでしょうか。

このままいけば、電気自動車なら大型車を乗り回してもオッケーという風潮であるとか、テスラ（米国の電気自動車メーカー）といったブランドの電気自動車を乗り回すのがステイタスであるといったような消費文化が継続しかねません。

また、電気自動車そのものが二酸化炭素を排出しないといっても、それを製造する過程では膨大なエネルギー消費や二酸化炭素の排出が伴います。

青木 その点も斎藤さんは著書で詳しく触れていますが、電気自動車に必要なリチウムイオン電池の問題点などもあるようですね。

斎藤　リチウムイオン電池に必須のリチウムは、多くが南米アンデス山脈沿いの地域に埋まっていて、現在はチリが最大の産出国です。そのリチウムは乾燥した地域で長い時間をかけて地下水となって濃縮されていくんですね。そのため地下から水をくみ上げ、水を蒸発させてリチウムを採取する。

つまり、リチウムの採取とは膨大な量の地下水吸い上げと同義なんです。もともと乾燥した地域で大量の地下水をくみ上げれば地域の生態系に重大な影響を与えるのは必至で、実際にそうした被害はすでに報告されています。

また、リチウムイオン電池の製造にはコバルトも必要ですが、現在はその6割がコンゴ民主共和国で採掘されています。コンゴ民主共和国はアフリカで最も貧しく、政治的にも極めて不安定な国で、世界のコバルト需要を満たすための大規模採掘が現地で環境破壊や劣悪な労働環境の原因となっている。結局、「気候ケインズ主義」的な先進国の取り組みは従来と同様、社会的・自然的費用を周縁部へと転嫁していることになります。

青木　石油から電気にかわっても、結局は「グローバル・サウス」から収奪しているにすぎないと。

斎藤　場所を変えて搾取しているだけにすぎません。そう考えれば、究極的にはクルマ=自動車そのものへの依存から脱却していくような社会設計を描かねばならないのですが、真剣に取り組もうとするなら、1年や2年では絶対に無理です。やはり30年ぐらいのスパンをかけて街づくりの根本的な改革などを併せてやっていかないと、とても間に合わないところまできてしまっている。
格差拡大などに伴う富の再分配策についても同じようなことが言えると思います。

青木　というと?

もっと根本的な富の再分配を

斎藤　超富裕層に国家がもっと税金をかけ、再分配するのはもちろん必要です。たとえばアマゾンの共同創業者であるジェフ・ベゾスといった富裕層はとんでもない額の資産を持っていて、彼自身だって使いきれないような富を手にした一方、その結果として日本では書店などの文化が破壊されようとしている。

話は少し脇道にそれますが、日本は世界にも稀な活字文化を持ち、すごく本が読まれている国だと思います。それを築いてきた書店も、本を読む文化も、僕たちの大切な「コモン（公共財）」です。それを破壊しつつ、彼ら（アマゾン）は膨大な富を蓄積している。

そういう動きにブレーキをかけるためにも、国が規制したり、税金をかけていく必要はもちろんあるのですが、あまりそれに頼りすぎると国家の力ばかりがどんどん強まり、究極的には現在の中国モデルのような状況になってしまいかねません。

一方、単にアマゾンが便利だからという安易な理由でさらに依存すれば、活字文化やそれを支える書店文化などをますます失ってしまいかねない。

青木　ではどうするか、非常に難題ですね。ただ、強欲資本主義が行き着く結果として極端な富の偏在や格差が生まれ、それなりに安定的な民主主義の土台となってきた中間層が各国で崩壊してしまったのは間違いありません。米国にトランプ政権が誕生したのも、欧州で極右的なポピュリズム政治が目立ってきたのも、ある意味で共通の病に由来する〝症状〟と捉えるべきでしょう。それを少しでも抑えるためには、富の再分配は必要だと。

斎藤　必要です。ただ、今回の米大統領選でジョー・バイデンが訴えた程度の政策で説得力を持てるかは疑問です。

僕は最近、「ジェネレーション・レフト」という言葉をよく使うんですが、欧米の若者のうちミレニアル世代（1980年代に生まれ、2000年代初頭に成人を迎えた世代）やその下のZ世代（インターネットが普及してきた1990年代後半以降に生まれた世代）、たとえばグレタ・トゥーンベリ（スウェーデンの環境活動家。2003年生まれ）たちの世代は、もちろん再分配も求めているのですが、単なる再分配では足りないんだということにも気づいています。

だっていくら再分配をしても、先ほど申しあげたように、みんなでじゃぶじゃぶお金を使ってくださいということになれば気候変動対策は間に合わない。また、いくらお金を再分配されたとしても、ロクでもない仕事しか得られないなら意味がない。お前たちにはベーシックインカムをくれてやるから我慢しろ、というようなことでは、まさに生きる尊厳に関わってきます。

青木　日本でも最近、そんなことを言い出す連中が現れましたね。月に7万円支給してやるから生活保護も年金もやめてしまえ、と。

斎藤　ええ。わずかなカネを分配するからあとは自分たちで適当にやれと、そんなふうになってしまいかねない危険性もある。

だからやはり資本主義を前提とした再分配政策だけでは、この分断された社会をつなぎとめられない。本当に苦しんでいる人びとに対しては、中途半端な解決策では限界があると僕は思っていて、もっと大胆な処方箋が必要になってきます。

希望を持てない世代

斎藤　そこでバーニー・サンダースがなぜアメリカであれほど若者の支持を集めたかを考えれば、やはり大胆な改革の必要性を訴えたからです。ウォールストリートや大企業に立ち向かう。高額な学費や学生ローンに苦しむ若者たちに向けては大学無償化を訴える。

彼は自身を社会主義者だと公言するわけですが、アメリカで社会主義という言葉がこれほど若者たちに受け入れられた事実は重い。少し長いスパンで見れば、そういう若者たちがいずれアメリカ社会の主導権を握っていくことになります。そうすればアメリカ社会は資本主義を前提とした現在のあり方から、もっと社会主義的な方向へと舵を切っていくことになるのではないでしょうか。

逆に現状を肯定し、いまのままでいいんだということになれば、トランプ的なムーブメントはますます広がっていくでしょう。

要するに、最後は同じ命題にたどりつくんですね。トランプを熱狂的に支持している人たちも、「ジェネレーション・レフト」と位置づけられる若者たちも、現在の資本主義体制の下で希望を持てなくなってしまっている。地球規模の気候変動といった環境問題も、格差が広がりすぎた結果としての貧困問題も、いまのままでは打開の道が見えてこないと。

日本もどんどんそうなっていくと思います。現在の日本のリベラルや左派には示せていませんが、しっかりとしたビジョンとともに現状を打開する道を示していくことが必要です。

青木　なるほど。お話を聞きつつ、アメリカの若者がなぜあれほどサンダースを支持したのか少しわかりましたが、一方でアメリカには共産主義や社会主義といったものへのアレルギーも強烈に残っているでしょう。

僕は今年54歳ですが、ソ連をはじめとする共産主義諸国や冷戦体制を現実に知る世代です。学生時代はソ連や東欧諸国を放浪し、その体制の問題点も痛感させられました。そこに立ち返ろうというわけではないのでしょう。

斎藤　もちろん、かつてのソ連のような共産主義国を目指そうというわけではありません。1987年生まれの僕はいま33歳で、いわゆるミレニアル世代に属します。物心がついたときはすでにソ連は消滅していて、そういう意味ではコミュニズムとか社会主義という言葉を使う際、ソ連などのイメージは希薄です。

つまり旧ソ連や旧共産主義国の歴史は知っていても、少なくとも僕たちの世代は現在の資本主義体制の下で、特に新自由主義的な資本主義の下で育ってきたわけです。その恩恵をどれくらい受けてきたかといえば、ほとんどなかったというのが大半の同世代の実感でしょう。経済は一向に成長しないし、雇用はどんどん先細っていくし、何より深刻なのはやはり地球規模の気候変動による環境問題です。

それでも僕や僕の子ども世代は今後50年、あるいはそれ以上も生きていくわけで、2050年どころか2100年までを見据えなければならない。

青木 世界の平均気温は産業革命前からすでに約1度上昇し、国連開発計画（UNDP）の予測などによれば、対策をとらないままだと今世紀末に気温上昇は約4度に達するとみられています。

斎藤 ええ。いまでさえ大災害が世界各地で続発しているのに、4度も上昇してしまったらいったいどうなるか。それを放置しておいて、それどころかますます悪化させるかもしれない状況下、現在の資本主義がベストで社会主義よりもいいんだと言われても、「本当かなぁ」と感じてしまうのは当然でしょう。

たとえて言うなら、あちこちで大規模な山火事が起きて自分の家も燃えはじめているのに、「当面はなんとかなります」「30年後までには延焼を止めます」なんていうノンビリした話をされても納得できるはずがない。

コモンの領域を広げていく

斎藤　しかも70歳を超えた政治家や財界人が「2050年までに」などと言っても、「そのときにあなたたちはもう死んでるじゃん」という怒り、自分たちの問題として考えていないという不信感、でも実際はそういう人たちが富や権力を握って現在のシステムを回している事実に気づいてしまうと、なんとしてもそれを変えるアクションを起こさなければならないと考えるようになる。

また、必ずしもそれは資本主義に拠《よ》る必要もないという流れが出てくるのは、僕たちの世代にとってはむしろ自然というか、世代感覚としては非常によくわかるんです。特に僕はアメリカに何年もいたので、肌感覚としてすごくわかります。

青木　アメリカの若者の意識やムーブメントはまた後でうかがいたいのですが、歴史的に振り返れば、1990年前後にソ連を筆頭とする共産主義諸国が崩壊して冷戦体制は終焉を迎え、共産主義の実験は失敗に終わったと総括されました。それから30年近くたって資本主義の矛盾も極限に達し、あらためて新しい価値観や体制を模索するべき時代になってきたと。

斎藤　そうですね。とはいえ資本主義そのものはいまもそれなりに好調というか、ベゾスのような超お金持ちになれる可能性もわずかとはいえある。今年はコロナ禍があって世界的に経済が落ち込んでいますが、彼らの地位はいまだ安泰に見えます。

でも、地球はもうボロボロです。そして、日本に暮らしている僕たちを含め、多くの人びともボロボロになってしまっている。要するに、資本主義そのものがうまくいけばいくほど、その破壊的な側面がむき出しに露呈するようになってきたということです。それこそが「人新世」の時代なわけです。

つまり、むき出しの資本主義体制の下で一部の人たちが富を独占し、使いきれないほどの資産を抱えつつ、しかもそのために地球環境や地域文化を破壊している。圧倒的多数の人が貧しい生活を強いられているのに、富を独占する者はプライベートジェットで世界各地を飛び回り、あちこちに豪邸や別荘を所有し、さらなる金儲けのために二酸化炭素を吸収する森林を切り開いているのが現在です。

そうではなく、格差是正のために経済をスローダウンしていった方が多くの人びとは豊かになれるのではないか。働き方も安定するし、格差も減るし、地球環境も良くなっていくのではないか。実は多くの人びとにとっては資本主義を抑制し、究極的には脱成長型の社会に移っていった方が豊かになれるのではないか。

これまではコミュニズムとか社会主義というと、独裁的な国でみんなが貧しくなるというイメージでした。もちろん過去のそんな社会に戻ろうという話ではなく、もっと別の形でいろいろなものをシェアし、豊かな社会をつくっていけるのではないか。

先ほども少し触れましたが、僕はそれを「コモン」と呼んでいます。つまり、共同所有の領域を広げていった方が人びとは豊かになれる。現在はすべて企業によって囲い込まれ、市場原理に委ねられてしまっていますが、その囲いを取り払い、あらためてコモンとして共有すれば、多くの人びとが豊かで幸せになれる可能性がある。現在は成長信仰に囚われ、そこに気づいていない気がします。

青木 しかし、現実には冷戦体制の終焉以降、世界中を新自由主義的な経済が席巻し、斎藤さんがコモンと位置づけるようなものもどんどん市場原理に委ねるような流れが世界中で加速してきましたね。そうして僕たちが現在直面している矛盾というのは、資本主義が本質的に孕んでいた矛盾なのか、それとも資本主義の運営を間違えたのか、斎藤さんはどちらだとお考えですか。

斎藤 ジョセフ・スティグリッツ（米国の経済学者）といった人びとがよく口にするのは、まさに行きすぎた資本主義の問題です。この30年ほどで新自由主義的な経済が行きすぎてしまったのだと。逆に言えば、新自由主義が問題なのであって、資本主義そのものは効率もいいし、悪くないという理屈ですが、僕はその立場を取りません。やはり資本主義の行きすぎが問題なのではなく、資本主義そのものに問題があると考えるべきです。

有限な領域で果てしなく膨張しようとする

斎藤 どういうことかといえば、スティグリッツらが言う新自由主義以前の資本主義、日本でいえば高度経済成長下でも一定の福祉国家が維持されたように思われた１９７０年代半ばまでの資本主義ですが、戦後の黄金期というべき資本主義こそが真の資本主義であって、現在の資本主義は偽物の資本主義だと位置づける考えですね。

僕はむしろ逆で、黄金期とされた時期こそが偽の資本主義であり、むしろ例外期だと考えます。マルクスの時代である19世紀を見てもわかりますが、資本主義というものは放置しておけば本来的に人間からも搾取するし、自然からも収奪する破壊的なシステムです。それがかろうじて抑えられてきたのが、日本は戦後の40年ほどの短い期間だった。

ではなぜ抑えられなくなったかといえば、抑えてしまうと経済成長が止まってしまうからです。資本の蓄積が止まってしまう。そうなってくると、本来はコモンたるべきものまで解体し、商品化の領域を増やしていくしかない。これを強引に引き戻そうとすれば、資本主義は経済成長ができなくなって行き詰まってしまうのです。

だからますます暴力的に商品化の領域を広げ、国鉄や郵政の民営化などにとどまらず、水道まで民営化すると言い出しています。さらに今度は、リニア新幹線をつくろうとまでしていて、どう考えても人口が減っていく日本でリニアなんていらないんですが、そうやって新しい金儲けの対象を貪欲に見つけ出していく。

そういう意味では、これはもはや資本主義そのものの本質的な問題と考えるしかありません。有限な領域で果てしなく膨張しようとするのが資本主義の本質なのです。

青木　資本主義の下では企業などがひたすら利潤を追い求め、際限なく資本を蓄積しようとするけれど、環境も資源も有限であって、根本的に双方は相矛盾するものだと。

斎藤　そうです。資源はもちろん、地球そのものが有限なんです。

青木　そして現在の新自由主義的とされるむき出しの資本主義こそが資本主義の本質だと。

斎藤　本質です。そこを誤解している人たちが結構いて、新自由主義を手直しすれば制御可能で大人しい資本主義に戻るかのように考えていますが、そんなことはありません。抑制的な資本主義が限界に達したから新自由主義の本性をむき出しにしたわけであって、飼い慣らされた資本主義に戻ろうとしてもまた矛盾が生じます。すると「ほら見たことか」「やっぱりうまくいかないじゃないか」ということで、いわゆるトランプ的な現象が再び勢いづくだけです。

したがって現状の新自由主義的な資本主義から決別しようと考えれば、もっと大胆な変革しかありません。私たちはもっと大胆にポスト資本主義に向けた跳躍プログラムを描かねばならないのです。

コモンとは「市民営化」のこと

青木　そこで先ほどから斎藤さんがおっしゃっている「コモン」ですが、著書のなかでも宇沢弘文さん（1928～2014年。経済学者。シカゴ大学教授や東大教授などを歴任し、前出したジョセフ・スティグリッツらも教え子にあたる）に触れていますね。

その宇沢さんがかつて唱えたのが……。

斎藤　「社会的共通資本」ですね。

青木　ええ。岩波新書から出た宇沢さんの『社会的共通資本』（２０００年）は僕も読みましたし、実は何度かお目にかかって話をうかがったこともあります。本当に天才肌の学者で、しかし決して偉ぶることのないリベラリストでもありましたが、斎藤さんがおっしゃるコモンと非常に近いのが「社会的共通資本」だという印象を受けます。

あらためて紹介すれば、宇沢さんは著書の中で「社会的共通資本」をこう定義づけています。「社会的共通資本は、一つの国ないし特定の地域に住むすべての人々が、ゆたかな経済生活を営み、すぐれた文化を展開し、人間的に魅力ある社会を持続的、安定的に維持することを可能にするような社会的装置を意味する」と。

そのうえで「社会的共通資本は決して国家の統治機構の一部として官僚的に管理されたり、また利潤追求の対象として市場的な条件によって左右されてはならない」と指摘し、「とくに大切」なものとして「教育と医療」をあげていました。

斎藤　宇沢さんの「社会的共通資本」の概念は、行きすぎた資本主義もダメだし、社会主義もダメだということで、ある意味で第三の道という考えに位置づけられるのだと思います。その道をはたしてどう模索していくか。いずれにせよソ連に戻ろうという議論は21世紀にはありえません。

そこで僕はコモンという概念を提唱するんです。それは私営でも民営化でもなく、しかし国営化でもない。「市民営化」です。電気であるとか水であるとか、いろいろなものを市民が管理する。

もちろんその際は国や自治体などの力も借りながらやっていくわけですが、教育や医療にとどまらず、介護などを含め、生活の必要なものはどんどんコモンの領域に移していく。そうなっていくとコモン型の社会になる。だからこの本ではコミュニズムという言葉を使っているわけです。

宇沢さんがイメージされた「社会的共通資本」というのは、おそらく移行期の概念だったのでしょう。僕の場合はもっと踏み込んでいて、あれもこれももっとコモンの領域に拡大していこうと。農業なども地産地消化し、カーシェアリングといったシェアリングエコノミーなどを含め、いろいろなものをコモンの領域へと移していく。

そうすれば最終的には資本主義的な領域、つまり市場の領域というのは、宇沢さんが考えられたよりもずっと小さくできる。もはや資本主義を補正するどころか、コモンが資本主義を食ってしまうようなところまで大胆に目指してもいい。資本主義的な領域は隅っこに退いてもらいましょうということです。

青木　これは時代の変遷の影響も大きいのかもしれませんね。宇沢さんが気鋭の経済学者として活躍した時代は、それなりに制御された資本主義からむき出しの資本主義への移行があらわになりつつある時期でした。

そんな時代、経済学研究の最先端を走っていた宇沢さんは、このまま突き進めばとんでもないことになると考え、すべての人びとの生活と文化維持に必須の「社会的共通資本」を守っていくべきだと訴えた。当たり前の話ですが、研究者として生きた時代性と思想は相互にリンクしているわけですね。

斎藤　そうです。そして宇沢さんの時代、社会主義やコミュニズムという言葉はやはり受け入れられなかった。かといって新自由主義にも強烈な違和感があったので独自の概念を提示されたと思うんです。

ただ、僕たちの時代はソ連崩壊ははるか後景へと遠ざかり、むしろむき出しの資本主義による弊害があまりに大きくなってしまっている。宇沢さんはおそらく制御された資本主義に希望をもっていらっしゃったのかもしれませんが、気候変動の問題などを踏まえれば、これはもう資本主義では無理であって、もっと抜本的に資本主義と手を切るアプローチが必要になると僕は考えています。

新しいユートピア像が必要

青木　お話に納得しつつ、著書を読んで若干の違和感も抱きました。斎藤さんがマルクス研究者だから当然なのでしょうが、現在抱えている矛盾の答えを考える際、あえてマルクスに拠る必要があるのでしょうか。

著書のなかで斎藤さんは、特に晩年のマルクスの思想を仔細に研究し、そこに現在の問題の突破口を見出そうとされています。ただ、いまお話になられたような未来像は別にマルクス思想にこだわらなくてもいいような気もしてしまうんです。

斎藤　おっしゃることはわかります。このまま無限の経済成長を追い求め、特に気候変動問題などは解決が難しいから脱成長に舵を切ろうという議論自体は、たしかにマルクスに拠らなくても可能でしょう。実際、僕の本の前半部分にもマルクスは登場しません。

しかし問題は、どうやら資本主義がうまくいかないと感じられるなか、それに代わる社会ビジョンというか、想像力というか、僕は現代における新しいユートピア像が必要だと思っているんですが、そういうものを描く力というのが、独力ではなかなか出てこないんですね。ある意味でソ連を同時代として知らないのは僕らの世代のメリットかもしれませんが、逆に資本主義以外のビジョンを描けないのが僕らの世代の欠点でもある。

だから新技術やデジタル技術で課題を乗り越えていこうといった程度の話者やビジョンしか出てこない。それは想像力の貧困だと僕は感じていて、これほど数々の問題に直面しているのに、それではあまりに悲しすぎる。ならばどこで人びとの想像力を取り戻すか。

やはりマルクスは歴史的な思想家のなかで資本主義ではない社会を徹底して考え抜いた１人です。これは別にマルクスだけではなく、たとえば先日亡くなったデヴィッド・グレーバー（米国の文化人類学者、活動家）もそういう面がありましたから、別にマルクス主義である必要はありません。

ただ、僕にとってはマルクスを深く読むことが別の社会の可能性を考えるきっかけになったんですね。脱成長という考えだけなら、デジタル技術を使って国家が管理すればいいといったモデルで終わってしまったかもしれませんが、そこにコモンという発想が加えられたのはマルクスを読んだからです。別にマルクスを守りたいわけではないのですが、僕にとってはイマジネーションの源泉になっているということです。

青木　なるほど。そこで最大の問題である資本主義の限界に話を戻しますが、このままいけばいずれ必ず行き詰まるだろうと。

斎藤　行き詰まります。

青木　特に気候変動に伴う環境問題は典型的ですが、2050年には破滅的な状況になってしまいかねない。

斎藤　このままいけばそうでしょう。

青木　ならば各国の政府がどこまで真剣に取り組むかですが、仮に2050年までに二酸化炭素の排出量を実質ゼロにできたとしても、危機的な状況であることに変わりはありませんね。

弱肉強食の野蛮状態

斎藤　欧州などは2050年までにかなり二酸化炭素の排出を減らしてくるでしょうが、国が上から規制するとか、大企業が主導していく形になれば、僕たちの自由が大幅に制限される脱炭素化になり、金持ちと貧しい人たちの差がますます広がる形になってしまうかもしれません。

たとえば富裕層は高額な料金を払って飛行機に乗れるけれど、貧しい人たちは移動自体ができなくなるとか、あるいは中国のように強権的な国家規制で罰則を科すとか、いずれにしても非常にマズい状況になってしまいかねません。

青木　その点、斎藤さんは著書のなかで前者を「野蛮主義」と、後者を「毛沢東主義」と評していますね。

斎藤　実際にアメリカの現状はすでにひどいものです。格差が極度に広がり、富を持つ一部の人は手厚く守られる一方、大半の人びとはものすごく貧しく、完全に振り回されてしまっている。日本でいえば東京の港区や世田谷区に暮らす人びとは快適だけど、一歩外に出れば荒れ果てた「マッドマックス」的な世界が広がっているような。

青木　そこまでひどくはなくても、最近の日本だって徐々にそうなりつつあるでしょう。東京にいれば衣食住、あるいは医療や教育が非常に充実しているけれど、地方に行けば行くほど限界集落化し、基礎的な公共サービスの維持すら怪しくなっている。

斎藤　だから東京のような大都市にいると気づかないんですね。世界でどれほど旱魃《かんばつ》や熱波があっても、東京のスーパーは決して空っぽにならない。地方の農家は気候変動の影響を受けているけれど、過剰に浪費的なライフスタイルを続ける東京では影響がなかなか感じられない。結局のところ、そのしわ寄せは途上国や地方の人びとに行ってしまう。この構造的な格差はやはり修正していかねばなりません。でなければ、見捨てられた人びとはそれこそトランプ支持のような状況になり、誰も報われることがない。

青木　ますます弱肉強食の野蛮状態に近づいていってしまうと。

斎藤　そうです。

青木　一方で、中国のように現在も〝共産主義〟の看板を一応掲げた強権国家、権威主義の政府も避けるべきだと斎藤さんは指摘されていますね。

斎藤　ええ。そこで僕が著書の最後に紹介したのがバルセロナ（スペイン北東部の港湾都市。カタルーニャ地方の商工業・文化の中心）の例です。オランダの首都アムステルダムもバルセロナと同様、かなり先駆的な取り組みをしています。

どういうことかというと、ケイト・ラワース（英国の経済学者）の「ドーナツ経済学」というものがあって、地球を気候変動から守りながら人間生活に必要なエネルギーや食糧を確保していこうという新しい経済モデルです。アムステルダムはこれを使おうと考え、市長がラワースと協力して取り組みをはじめています。

青木　簡単にいうとどのような取り組みなのですか。

斎藤　「フィアレス・シティ（恐れ知らずの都市）」という概念があって、押しつけられた新自由主義的な政策に反旗を翻す革新的な地方自治体を意味する言葉ですが、国家もグローバル企業も恐れず、住民のために行動することを目指そうというのです。

最初にその旗を立てたのがバルセロナで、今年1月に「気候非常事態宣言」を発表しました。

この宣言は薄っぺらな掛け声にとどまるものではなく、２０５０年までの脱炭素化に向けて驚くほど具体的な行動計画を列挙したマニフェストです。

地域循環型の経済を広げていく

斎藤　たとえば都市公共空間の緑化や電力・食などの地産地消、航空機・船舶の利用制限、ゴミの削減・リサイクルなどはもちろん、飛行機の近距離便の廃止や市街地での自動車の速度制限（時速30キロ）といった、グローバル企業などと正面から対峙しなければ実現できないものも多く含まれています。しかもこのマニフェストは、10年に及ぶ市民の粘り強い取り組みによってつくられたんですね。

また、欧州の大都市などでは貧困問題も解消しないと根本的な解決になりません。一部のお金持ちがいくらベジタリアンの食生活を送っても、圧倒的多数の貧しい人たちが吉野家のようなところで日々食事をしていれば意味がない。これは別に貧困層が肉を食っているから悪いわけではなくて、現実に３００円とか４００円では環境にも健康にも配慮した食事のオプションがないからです。

そういう状況そのものを変えていかねばなりませんから、経済格差や労働の問題に取り組むことと環境問題に取り組むことは決して対立しないし、むしろ一緒に解決を目指していくパートナーです。アムステルダムはそういうことを訴えはじめていて、これらは本当に画期的な動きだと思います。少なくとも欧州では今後これが主流になっていくでしょう。

そのうえで、ガソリン車の禁止であるとか飛行機の国内線の禁止とか、そうしたところにまで踏み込んでいく必要がある。新幹線で移動できるときは新幹線で移動すればいいし、そうした規制は国家がある程度主導せざるをえないでしょう。郵便などを含め、国家が提供しなければいけないサービスも残り続ける。すなわち国家や市場のレイヤーは残り続けるし、残り続けてもいい。

しかし、市民営化とか自治とか、コモンと呼ぶ公共の領域をもっともっと増やしていこうというのが僕の考えです。現在は市場が極度に肥大化し、コモンの領域はほんの少しで、残りは国家のような状況ですが、隅っこに追いやられているコモンの領域をもっと厚くしていくことによって、それぞれの地域に暮らしている人のために効率よく居心地のいい政治や社会がつくれるのではないか。

青木　もう少し具体的にいうと、どのような領域までコモン化すればいいと?

斎藤　僕のイメージとしては、その領域に含められる範囲は一般的に考えられるよりかなり広いと思います。

たとえばファーマーズ・マーケット。学校の給食は地元の人たちがつくった有機野菜を活用し、栄養士さんたちの調理で子どもたちはおいしくて健康的な給食が食べられる。子どもたちの味覚も育つし、地元農家も潤うし、環境にも優しい。

電力だってそれぞれの地域で自分たちがつくればいい。現在のように和歌山に暮らしている人が関西電力と契約していれば、電気代がすべて大都市、大企業に吸いあげられているようなものです。

そうではなく、和歌山の人びとが地元に電力会社をつくればいい。再生可能エネルギーを活用すれば環境保護につながり、地元で雇用も生まれて地元で循環していく。水道やガス、医療、介護などもそうです。

そうやって考えていけば、実はいろいろな領域で地域循環型の経済を広げられる可能性はあって、グローバル企業とか電力会社のような独占型の巨大資本に対抗できる。

青木　食の問題は特に重要ですね。市場に委ねれば画一的な食べ物を安価に入手できるけれど、そうではなくて地産地消型の安全な農業をコモンの形でつくり、地元で循環させていかなければならないと。

斎藤　そうです。よく言われる話ですが、曲がっていたり不揃いな野菜や果物だって味は変わらないのに、なぜ形を揃えるかといえば、流通用の段ボールに詰める際の利便性などが理由です。それだけのために食べられるものが捨てられたりしている。しかし、地産地消ならば多少不揃いでも問題ありません。

これまではグローバル化とか市場の理屈で地球の裏側からオレンジを運んできたり、アボカドやトマトを輸入したりしてきましたが、これが行きすぎると今回のパンデミックのようなことが起きてしまう。しかも気候変動はますます進んでいく。こんな状況で世界的な食糧危機になったら、食糧自給率38%（カロリーベース）の日本なんて大変な事態になりますよ。

青木 そうでしょうね。大パニックになる。また、これは安全保障の問題でもあります。

消費者が同時に生産者でもある

斎藤 だからスローダウンが必要なんです。地球の裏側から飛行機で食糧を運んでくるようなモデルから、自分たちや自分たちが見えるところでつくった食べ物を大切に育てていくモデルへ転換する。

どこでどんなものがどうつくられ、どうやって僕たちのもとに届くのか、グローバル化が進みすぎると目に見えなくなってしまうでしょう。これってかなり怖いことで、これをもう一度「見える化」することが消費者の安全につながり、環境の保護にもなる。

最初はなんだか面倒くさいとか、不便になるんじゃないかという恐れを抱くかもしれませんが、よく考えればそれがむしろ僕たちの食を豊かにし、安心とか安全とか健康や環境保護にもつながっていく。そういう可能性をもっともっと探っていくべきです。

青木 おっしゃるとおりだと思いますが、実際には現在の資本主義的な都市生活に惹かれ、一定の快適性を感じている人が多いのも現実でしょう。

特に若年層はそうではないですか。非正規などで厳しい労働を強いられている現実がある一方、深夜でもコンビニエンスストアに行けばそこそこ美味しいものが食べられるし、スターバックスでコーヒーも飲める。

僕も地方出身者だからよくわかりますが、若者たちがなぜ地方から都市を目指すかといえば、都市にしか雇用や高等教育機関がないといった現実的理由もあるでしょうが、さまざまな刺激に満ちた都市生活の方が快適だと考える者も多い。

斎藤　そうですね。

青木　一方で濃密なコミュニティなんて少し面倒くさい。少なくとも東京にいれば、隣にどんな人が住んでいるかも気にせず生きていける。それが快適だと考える人も、若い人は結構多いでしょう。

斎藤　そうでしょうね。地方の閉鎖性とか、コモンなんて面倒くさくてイヤだと。都市の利便性や匿名性に居心地の良さを感じる気持ちも否定しませんし、僕も都会育ちなのでよくわかります。

他方、そのせいで僕たちがすごく弱い存在になっていることも考える必要があります。コンビニエンスストアが便利だといっても、災害やパンデミックなどでひとたび物流が途絶えれば、僕たちはただ右往左往するしかない。生き延びることさえ難しくなってしまう。

資本主義というのは結局、従来あったコモン的なものを徹底的に囲い込み、解体していくことで発展してきた面があって、その極地というべきものが大都市のライフスタイルです。それが利便性をもたらす一方、行きすぎたことによって僕たちは単に無力な消費者に突き落とされてしまいました。

忘れてはならないのは、僕たちは同時にやはり生産者であるということです。消費者に安住しているのは楽でもあるし、ある意味で便利ではあるんだけど、自分たちが生産者としてモノを生み出す側面を失っていくのはクリエイティビティを失うということです。

また、モノをつくるのは基本的に1人ではできないので、他人とのつながりを失っているということでもある。だからその豊かさや楽しさを取り戻していく試みは、気候変動の時代をサバイバルしていく能力を取り戻すということです。

飼い慣らされた消費者の立場の危うさは、今回のコロナパンデミックでも多くの人が痛感させられたでしょう。資本主義の下で救われるのは結局、お金を持っている人たちだけで、市場というのはお金のない人にはとても残酷です。

もちろん、多少は面倒くさいことも出てくるでしょう。でも、それが最終的にはサバイバル能力にもなる。そういうことって僕たちにも経験があるじゃないですか。

たとえばスポーツで結果を残そうと思えばそれなりにトレーニングをする。野球選手でも野球だけでなく、走り込みや筋トレなどをする。それと同じことで、民主主義を守るためにはそのための走り込みや筋トレなども必要なんです。

気候変動や格差問題を解決する別の新たな道

青木　そこで先ほどのアメリカの若者の意識やムーブメントに話を戻せば、サンダースなどを支持するミレニアル世代やZ世代の若者たちは、そういうことに気づきはじめているということですか。日本ではステレオタイプに「左傾化している」などと括ってしまいがちですが。

斎藤　ええ。やはり気候変動のような不可逆的な変化を眼前にし、自分たちが重大な分岐点に立っていることを、多くの若者たちが自覚しています。それに対してサンダースらが新しいビジョンを提示している。

これに対して日本では、もはやいまの道を突き進むしかないという選択肢しか提示されていないんですね。そうなってくると、自分はなんとかこのなかで生き延びようと考えるしかない。むしろいまのシステムに取り込まれ、そこで生き延びる方法を必死に画策するようになってしまう。

青木　沈みゆく船のなかでポジション取りに没頭してしまう。

斎藤　そうです。だからこそ、ちょっと成功した実業家の自己啓発的な本や言説に惹き寄せられてしまう人が多いんですが、実はちゃんとオルタナティブはあるんですよと。しかもそれは搾取されて辛い立場に追い込まれたみなさんにとっても素晴らしい道であり、格差や環境問題を解決できるんですよと。そういうオルタナティブな道を、サンダースをはじめとするさまざまな人びとが欧米などでは示しはじめている。

それを受け止める若者たちの側も、かつての共産主義国家に対するアレルギーが薄く、現在の資本主義的な価値観にどっぷりと染まってもいない。だから社会主義って実は意外とイケるんじゃないのと、大胆に思考転換ができるのだと思います。

青木　しかし現在の日本にはそれがないと。

斎藤　まったくありません。最近、自分は保守だと思っていたのに、いつのまにか左翼扱いされるようになったという嘆きをよく聞きますよね。それぐらいいまの日本では左の論陣を張っている人たちが少なくなっている。リベラルな人はまだ一定程度いるんですが、いわゆる左の論陣です。

だから僕は、マルクスの存在とその思想が示す道をもう一度表に出すことで、若い人たちにも気づいてほしいとも考えたんです。資本主義だけではなく、コモンを基礎にした道は将来を生きるために使えるんじゃないかと。

そうすればさまざまな発想の転換が出てくる。結局のところ、直面している危機というのはどの国も似ているわけですから、日本だけが取り残されるのではなく、きちんとしたオルタナティブを示す必要があります。

青木　現在の野党もそれを示せていないと。

斎藤　ええ。逆に若い人たちは、ある意味で賢いのかもしれませんよ。現在の社会で感じている閉塞感は、別に安倍さんだけの問題じゃないとうすうす気づいている。

実際に安倍さんが辞めても何も変わらないし、もっと言えば自民党だろうがなんだろうがそんなに変わらないと気づいている。だから自民党の支持率が減らないのではないでしょうか。

つまり反安倍では不十分だし、反新自由主義でも不十分、共産党でさえ不十分です。気候変動とか富の偏在といった巨大な危機が眼前に迫っていて、それによって感じている矛盾や生きづらさはもっと大きな問題であって、それを解決してまったく違う社会が可能なのだというビジョンをきちんと示していかない限りは現在と大差がないと多くの若者たちが直感している。ならばやはり、気候変動や格差問題を解決に導くため、別の新たな道があるんだという大きなビジョンを示さなければなりません。

マルクスをどう研究してきたか

青木　最後に少し、個人的なお話もまじえて聞きたいんですが、１９８７年生まれの斎藤さんはいわゆるミレニアル世代で、高校までは東京で過ごされたんですか。

斎藤　はい。高校までは東京です。一応は東大に半年くらい通ったんですが、そのまますぐアメリカの大学へ。

青木　東大は法学部？

斎藤　いえ、理科二類です。

青木　もともとは理系だったんですか。

斎藤　ええ。高校までは理系でした。

青木　そして東大に進んだのに、そのまま日本で学ぼうとは思わなかったんですか。

斎藤　高校を卒業する際、アメリカの大学に行きたいという思いが強くあって、実際に行ってみたら自分が思い描いていたとおりだったので、そのままアメリカの大学で4年間過ごし、それからマルクスをもっと研究したくてドイツで6年過ごしました。

青木　マルクスを研究したいと思ったのはいつだったんですか。

斎藤　東大に半年通っていたころ、哲学サークルの勉強会でマルクスに出会いました。だからもし東大に行っていなかったら、僕はマルクス研究をやっていなかったかもしれません。

青木　アメリカやドイツでの研究生活はいかがでしたか。

斎藤　すごくいい経験でした。あのまま日本にいれば、それなりに恵まれた立場で自分の優位性のようなものを疑わなかったかもしれませんが、アメリカでは言葉にも苦労しましたし、そのために一般市民以下のような立場に置かれたことなどを含め、すごく貴重な体験でした。

青木　その結果、マルクス研究で世界最高峰の賞とされるドイッチャー記念賞を史上最年少の31歳（当時）で受賞しましたが、なぜ再び日本に戻られたんですか。

斎藤　こういう研究テーマで海外で就職するのはけっこう厳しいということもありましたが、やはり日本でさまざまな社会問題や環境問題への取り組み方を変えていきたいという気持ちもずっとあったんです。最近は日本でもマルクス研究者のポストはあまりないんですけど。

青木　先ほどからお話にあったように、そのマルクスの思想の受け止めが若者を中心にアメリカでは徐々に変わりつつあるというのは新鮮でした。

斎藤　それでもアレルギーはありますからサンダースもマルクス主義とは言いませんよね。ただ、彼らを支えている「Democratic Socialists of America（DSA＝米国の民主的社会主義者）」という団体があって、そういうところにはマルクスにシンパシーを持つ人たちも一定数はいます。

青木　それにミレニアル世代やZ世代の若者たちが惹かれている。

斎藤　そこがとても興味深い。アレルギーがあるなかでコミュニズムという言葉も使いませんが、それでもあれほどの支持を集める現実を僕はアメリカで見てきました。

そのサンダースたちが訴えているソーシャリズムはいわば福祉国家だと、欧州の福祉国家とあまり変わらないという捉え方は間違っていると思っています。彼らはもっと大胆なことを求めているし、そこを見誤るとZ世代などが求めているものを捉えきれません。

青木　正直に言えば、どちらかといえば僕はそう捉えていました。いわば北欧型の福祉国家のようなものかと。

さらなる根源的な左傾化を

青木　いまも賛否が渦巻いているらしいオバマケア（オバマ政権が進めた医療保険制度改革）など

も、日本では国民皆保険がごく当たり前ですし、いわば強欲資本主義から福祉国家というか、ゆるやかな社民主義的なモデルを志向しているのかと思っていました。

斎藤　福祉国家だったら資本主義の内部の話になってしまいますが、彼らはもっと踏み込んでいる。ウォールストリートの解体とまではいきませんが、その制限であるとか軍事費の削減であるとか、電力やアグリビジネスといった石油を大量に使う産業への労働者の積極的参与なども訴えています。つまり、ある種のワーカーズコープ（労働者協同組合）のようなモデルを導入していくんだと。

サンダースらが示したグリーンニューディール（進歩的な地球温暖化対策）の政策などを読むとよくわかるんですが、そういうこともしっかりと盛り込まれていて、それは単なる福祉国家への回帰とは規模が違います。福祉国家というのは分配の変革だと思いますが、もっと生産のレベルから変えていく。アグリビジネスのようなものからは撤退し、持続可能な農業に転換し、小規模化していく。

青木　そういう政策を支持する若者たちが多いということは、バイデン政権下でどうなっていくかはともかく、少し長い目で見ていくと、いずれアメリカを大きく変えるようなムーブメントになっていくかもしれないと。

斎藤　なっていきますね。下院議員になったアレクサンドリア・オカシオ＝コルテス（１９８９年生まれの政治家、活動家。人権、環境問題に向き合ってきた）あたりがやはりリーダーになっていく。それを支えるグレタ・トゥーンベリの世代になってくると、大坂なおみ（プロテニス選手）

とかビリー・アイリッシュ（２００１年生まれの人気シンガーソングライター）とか、いまのアメリカの20代ぐらいの子たちは政治的アピールをするのが極めて自然なことで、それが格好いいと捉えています。

その彼ら彼女たちが30代、40代になっていくと、その下の子どもたちはもっと過酷な環境下で育つでしょうから、場合によってはさらに左傾化します。そう考えると、10年か20年も経てば少なくともアメリカは相当変わっていくんじゃないでしょうか。日本がどうなるか、まだわかりませんが。

青木　ならば日本も若者たちにオルタナティブの道を示すムーブメントがやはり必要ですね。学者としての立場も含め、ミレニアル世代の斎藤さんが果たすべき役割も大きいのでは。

斎藤　いまのところ具体的な考えがあるわけではありませんが、共産党以上に左翼的なムーブメントが出てくるような気運はつくっていかなくてはならないし、それは自分のなかで実践的な課題だと思っています。

青木　共産党以上に左翼的、ですか（笑）。

斎藤　これはちょっと不適切な表現だったかもしれません（笑）。

でも最近の日本共産党って、新自由主義が問題だという程度で止まっちゃっているように感じるので、もう一歩踏み込んでという意味で言ったんですが、いずれにせよ新しいビジョンを示していく必要があるのは間違いありません。このままでは行き詰まるということにうすうす気づいている若い子たちが「面白いな」と感じてくれる運動でなければならないし、決して希望がないと僕は思っていませんから。

（2020年11月6日）

斎藤幸平　さいとう・こうへい

1987年、東京都生まれ。哲学者。ベルリン・フンボルト大学哲学科博士課程修了。専門は経済思想、社会思想。東京大学大学院総合文化研究科准教授。Karl Marx's Ecosocialism: Capital, Nature, and the Unfinished Critique of Political Economy（Monthly Review Press／邦訳『大洪水の前に』堀之内出版）でドイッチャー記念賞を歴代最年少で受賞。同書は世界5カ国で刊行されている。主な著書に、マイケル・ハート、マルクス・ガブリエルなど世界の知識人と議論した対談集『未来への大分岐　資本主義の終わりか、人間の終焉か？』（編著）、『人新世の「資本論」』（ともに集英社新書）など。

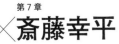

第8章 栗原俊雄

戦後補償問題を報道＝運動する

私がもともと通信社で長く記者生活を送ったせいだろう、メディア組織に属しつつ一線の取材現場で奮闘する記者に会うと、なんだかホッとしてその奮闘に心からのエールを送りたくなる。ましてメディア環境の激変に伴って旧来型の活字メディアが軒並み苦境に喘ぐなか、自己の確固たる取材テーマを抱え、しっかりした問題意識に基づく記事を日々発信している真っ当な記者ならなおのこと。栗原俊雄さんは間違いなくその1人である。

毎日新聞のベテラン記者である栗原さんは、先の大戦で戦地に倒れた人びとの遺骨収容や空襲被害者への補償といった、いわゆる戦後補償問題に取り組みつづけている。現役の大手メディア記者としては明らかにその第一人者でもある。

ただ、紙面等で旺盛に発信される記事を私も熱心に読みつつ、かねて疑問に思っていたこともあった。戦後生まれの私とほぼ同世代のはずなのに、いったいなぜ戦後補償問題にそれほどのめり込んでいったのだろうか、と。

疑問はこのインタビューで氷解したから、詳しくは本編に譲るが、むしろ戦後世代だからこそ先の大戦とその被害に向き合う必要があると栗原さんは言う。国家に動員され、「国のため」という大義の下、犠牲になった人びととどう向き合うか、向き合うべきか。当たり前の話だが、それを突き詰めて考えるのはなにも戦争体験者だけの課題ではなく、再びあのような惨禍を引き起こさないために必須の作業なのだから、と。

しかも欧州や中東で戦火がやまず、この国でも「新しい戦前」が語られる現在、戦争に向かう国家とその本性がいかなるものか、〝常夏記者〟が発する警告から汲み取るべき教訓は多い。

青木理（以下青木）　栗原さんは毎日新聞の記者として戦後補償問題に長く取り組み、特に戦没者の遺骨収容などに関する多くの記事は、僕も毎日新聞の紙面でいつも注目しながら拝読しています。

栗原俊雄（以下栗原）　ありがとうございます。

青木　つい最近出版された『硫黄島に眠る戦没者　見捨てられた兵士たちの戦後史』（岩波書店）も興味深く読みました。まさにこの連載タイトルにぴったりのテーマ……といえば少々語弊はありますが、すでに戦後80年近くが経ってしまった先の大戦の、いまだきちんと清算されない問題に栗原さんは真正面から向き合っている。とはいえ、年齢は僕とさほど変わらないでしょう。

栗原　今年で56歳になります。

青木　ということは僕よりひとつだけ下ですね。

いずれにせよ完全なる戦後生まれで、なのに新聞記者として先の大戦をめぐる問題に取り組もうと考えたのはなぜだったんですか。

栗原　大きな転機になったのは硫黄島での取材経験でしたが、いわゆる〝8月ジャーナリズム〟には僕も駆け出し記者のころから関わってきました。

「8月ジャーナリズム」の経験

青木　広島と長崎に原爆が投下されたのは１９４５年の8月6日と9日、そして日本がポツダム宣言を受諾して敗戦を迎えたのは8月15日。だから8月は戦後一貫して「あの大戦」を振り返る季節であり、政府や自治体主催の追悼式や慰霊式などが各地で開かれ、メディアは関連の記事を毎年大量に発信してきました。

もちろんそれは決して無意味なことではないし、内外で夥しい数の人の命を奪った無茶で無謀な戦争の惨禍を忘れないという意味ではむしろ大切なことでしょうが、8月になると急にそのムードを高め、終わると潮が引くように関連報道も消えていく様は、多少の揶揄を交えて〝8月ジャーナリズム〟などと呼ばれてきました。

栗原　まるで季節もののように、ね。それは僕も決して例外ではなく、初任地だった横浜では、まさに組織記者の一員として〝8月ジャーナリズム〟に取り組みました。

その際、基本になるのはやはり戦争体験者に話を聞くことですよね。ただ、時が経てば経つほど体験者は高齢化し、証言は消えていってしまいますから、その重要性自体は強く感じたのですが、一方で当時はそれを自発的にやるほどの余裕はありませんでした。

青木　いまも昔もさほど変わらないでしょうが、大半の新聞記者はまず地方でサツ（警察）回りからスタートし、事件や事故取材で忙しい日々を送りますからね。

栗原　ええ。サツ回りの次は市政、県政などの取材。特に僕が横浜にいた時期は総選挙が2回、ほかに統一地方選などもあったので大変で、とても余裕があるような状況ではなくて。
一方で僕、もともとは近現代史の研究者になりたかったんです。そのために大学院で修士号も取って。

青木　そうか、栗原さんは大学院で近現代史を専門に学び、それからジャーナリズムの世界に入られたんですか。そううかがうと、先の大戦や戦後補償問題に熱心に取り組んでいるバックグラウンドも納得がいきます。

栗原　ですから昭和史や戦史に関する知識と関心は、一般の記者よりは間違いなくあったと思いますが、駆け出し時代は忙しさに流されて、自覚的にそれをテーマとして取材活動をしようという余裕まではありませんでした。

遺骨収容作業に衝撃を受けた

栗原　ところが2005年、そのころ僕は東京本社の学芸部に所属していましたが、当時の編集局長が熱心に音頭をとって「戦後60年」の大型企画に取り組むことになり、僕も呼ばれてその企画に関わることになったんです。そして硫黄島からの生還者に初めて話を聞きました。

青木　栗原さんの著書にも詳しく書かれていますが、硫黄島の戦いといえば先の大戦末期、最も凄惨な戦闘のひとつとされ、島を取り囲んだ米軍の猛攻を受けて2万人以上の日本兵の大半が玉砕したわけですね。

栗原　生き残ったのは2万人のうちわずか１０００人ほどといわれています。つまり、10人のうち１人も生き残ることはできなかった。

その生還者のうち、僕は金井啓さんという方を含めて３人に話をうかがいました。これは衝撃でした。

青木　そのあたり、栗原さんの新著にも詳しく描かれています。

栗原　ええ。自分たちは生き残ってしまったけれど、せめて戦死した仲間の遺骨を遺族のもとに返してやりたいと訴えていた。また、そうした高齢者たちがボランティアで遺骨収容作業に参加し、縁もゆかりもない戦死者たちの骨を必死になって探していた。

その想いや姿に僕は衝撃を受けました。空襲による被害者もそうですし、いわゆるＢＣ級戦犯なども同様ですが、国のために命を落とした人びとが何の補償も受けず、受けられず、それどころか完全に見捨てられた存在として放置されている。そんな被害者が数限りなくいる事実に、戦後60年企画の取材を通じてあらためて気づかされたんです。

青木　そして硫黄島も現地取材することになったと。それが何年のことでしたっけ。

栗原　２００６年です。

青木　しかし、硫黄島は民間人の立ち入りが禁じられていますね。

栗原　自衛隊基地があるだけで、一般人は基本的に入れません。

その硫黄島に僕がなぜ行くことになったか、これも本に詳しく書きましたが、ちょうど2006年にクリント・イーストウッド（米国の俳優、映画監督）が監督した「硫黄島からの手紙」と「父親たちの星条旗」、いわゆる硫黄島2部作が公開されました。

僕は硫黄島に行きたいと思った

栗原　これはいずれも非常に優れた作品で、簡単に言えば、いわゆる広告用の記事を僕が書くことになったんです。その時、僕は大阪学芸部に所属していました。とはいえ、映画担当ではなかったので、本来は直接的な関係がなかったんですが……。

青木　ただ、当時の編集局長が音頭をとった戦後60年企画で栗原さんは硫黄島の生還者へのインタビューなども手掛けていたわけでしょう。

栗原　そう、だから僕が指名されたと思うんですが、そこで考えたんです。青木さんもおわかりのとおり、映画の広告記事を書くこと自体は別に難しくもなんともないですよね。映画の関係者に話を聞き、戦史に詳しい研究者にでもコメントをもらい、それをまとめれば原稿はどうにでも仕上げられる。

でも、僕は行きたいと思ったんです、硫黄島に。これはチャンスだと。そこで会社に企画書を出しました。毎日新聞が所有する社機を飛ばし、硫黄島に入って現地を取材して記事を書けないかと。

青木　突飛な企画にも思えますが、一方でいくら広告記事でも現場を見て書くのは、ある意味で記者として至極当然の姿勢ともいえます。

栗原　でも最初は無理だろうなと、ダメもとの気分でした。何よりコストが相当にかかりますからね。

青木　部数の低迷で新聞業界はどこも青息吐息ですしね。

栗原　実際、硫黄島に行かなくても記事は書けるし、行くとなれば最低5人の要員は必要になります。

まずは社機のパイロットとサブパイロットに整備士、そして記者の僕とカメラマン。しかも万一のことがあれば労災にもなりかねない。

そんなコストやリスクを社が負うかと思っていたら、ダメもとで出した企画が通ったんです。こちらが拍子抜けするくらいあっさりと（笑）。逆に「ぜひ行ってこい」と言われ、僕の方が驚くくらいで。

青木　それは戦後60年企画を編集局長自らが音頭をとったことなども含め、当時の毎日新聞の編集幹部がなかなか立派だったということでしょう（笑）。やる気のある現場の声を可能な限り尊重し、その背を押すのがメディア幹部の役割ですから。一方で社がオッケーを出しても、問題は防衛省がそれを許すか、ですね。

硫黄島だって行政区域としては東京都になるわけですが、事実上は自衛隊の基地になっているから防衛省の管理下に置かれ、防衛省の許可が必要になるわけでしょう。

イーストウッドは許可されたのに

栗原　そのとおりです。でも当時の僕は世間知らずで、社がオッケーすれば何の問題もないと思っていました。当時は防衛庁でしたが、すぐに許可が出ると思い込んでいたので、大阪から出張して防衛庁がある東京・市ヶ谷に行く時はスキップするような気分で（苦笑）。

青木　現地までは会社が社機を飛ばすというんだから、あとは事務的な手続きだけだろうと思いこんでいた（笑）。

栗原　ところが、けんもほろろ。防衛庁の広報担当者らが応対し、態度は慇懃《いんぎん》なんですが、はっきり言えば「あんた、何言ってんの？」みたいな、「非常識なこと言うなよ」みたいな、そんな感じで却下（笑）。

青木　まあ、そうでしょうね。でも、それで諦めなかったんでしょう。

栗原　諦めませんよ。だって、実際に行ってみたかったし、そもそもオッケーを出してくれた会社に対してみっともないじゃないですか（笑）。

青木　そりゃそうだ（笑）。

栗原　だから何度も広報担当者を訪ね、電話も繰り返し、いろいろなカードを切りました。

青木　カードというと？

栗原　何より硫黄島の戦没者遺族の意向ですよ。僕にしてみれば、この取材は硫黄島の生還者や遺族の想いも背負うことになったわけです。ご遺族だって現地に行きたいのに、なかなか行けない。戦死者の遺骨は放置され、その収容活動も自由にできない。

これはどう考えてもおかしいし、遺族感情からしてみれば絶対に納得できない。だからご遺族からも取材許可の推薦を出してもらいました。それでもだめで、最後には決定的なカードを切りました。

青木　そのあたりは著書の中に書かれていますね。クリント・イーストウッドの映画の件を突きつけたと。

栗原　そうです。クリント・イーストウッドが現地でロケをしていたことを、遺族から教えてもらったんです。アメリカ人が映画を撮っているのに、日本の新聞記者はなぜ取材すらできないのかと。おかしいじゃないですかって。

そうしたら、防衛庁の担当者の顔色が明らかに変わりました。そして「あれは外務省が言い出したことで……」などと口ごもってしどろもどろになって。

青木　でも、それは栗原さんの言うとおりでしょう。アメリカの映画監督には撮影を許可し、一方で日本の新聞記者に取材を認めないのはどう考えたって理屈に合わない差別ですし、いったいどこの国の役人なんですか、と問われかねません。

実際にその交渉の結果、現地取材のオッケーが出たわけでしょう。

栗原　そうです。

青木　とはいえ、実際のフライトはいろいろ大変なのではないですか。硫黄島には自衛隊の基地があるだけで、社機のパイロットも現地に飛ぶのは初めてなわけでしょう。

栗原　いえ、実はそうでもないんです。社には社員パイロットが在籍する航空部がありますし、硫黄島は南鳥島などを航空取材する際の中継基地になっていて、機材の格納庫などもあるんですよ。

青木　ということは、現地取材は許されてこなくても、社機が硫黄島に着陸すること自体はあったわけですね。

栗原　そうなんです。といっても、そんなことは僕も後で知ったんですけれどね……。
だから防衛庁の許可が出たら、そこから先はスムーズでした。現地の基地や管制などとの調整もすべて社の航空部がやってくれて。

青木　そして初めて硫黄島に降り立ったのが……。

栗原　２００６年の12月６日。伊丹空港（兵庫・大阪）を朝イチで出発し、１２００キロ以上の距離を片道３時間かけて飛び、日帰りですから現地滞在は正味４、５時間ほどでした。

青木　初めての硫黄島はどうでしたか。よく知られる話ですが、硫黄島には生活に必要な水源が一切なく、もともといた住民たちも雨水を溜めて生活していたという過酷な地ですよね。

硫黄島の過酷な環境の中で

栗原　はっきり言って強烈でした。現地で案内してくれたのは自衛隊員ではなく、基地のメンテナンスにあたっている建設会社の職員だったんですが、その方が非常に親切で、従来はあまり取材させていない地下壕などに連れていってくれて。

その地下壕は匍匐《ほふく》前進しないと入れないほど狭い場所もあって、とにかく猛烈に暑いんです。持参した温度計で測ると、12月なのに島は25度、壕内はさらに暑かった。ワイシャツ1枚でも汗が全身から流れ落ちてきて、あたりには強烈な硫黄臭まで立ち込め、普通なら5分も中にいられないほど劣悪な環境と暑さなんです。

なのに、あちこちにツルハシで掘った跡が生々しく残っていて……。

言うまでもなく、当時は重機なんてありませんから、ツルハシで壕を手掘りしていた。しかも日本軍は補給などは一切なく、飲み水は雨水を溜めたものが1日に1リットル足らず支給されるだけ。

そんな過酷な環境の中で兵士たちが必死に地下壕をツルハシで掘り、しかも彼らは結局のところ生きて帰れないことをわかっていた。

実際に島の周りは米軍の艦艇に取り囲まれ、猛烈な砲撃を日夜受け続け、そんななかで地下壕をひたすら掘り続けた兵士の苦衷《くちゆう》は察するに余りあります。

青木　おっしゃるとおり、すでに敗戦が必至の状況下、硫黄島に送り込まれた兵士たちは大半が死を覚悟していた。

栗原　僕の本で、硫黄島で戦死した近藤龍雄さんという方のことを紹介していますが、彼は硫黄島に送り込まれた当時すでに30代後半の老兵でした。以前に一度、中国戦線に送り込まれ、かろうじて生き残って帰国して、やれやれこれで兵役も終わりだろうと感じていた。幼い子どもが1人、さらに妻のお腹にもう1人いました。なのに2度目の召集で硫黄島に送られた。そういう兵士が硫黄島にはたくさんいたんです。

青木　それはなぜだったんですか。

栗原　さまざまな背景はあるでしょうが、何よりも兵力が払底《ふってい》していたから、かなり強引にかき集めたんでしょう。だから素人に近い兵力が現地へと送り込まれた。生きて帰れないことが確実な島に。

青木　なるほど。いずれにせよ、初めての硫黄島取材は栗原さんには衝撃的だったと。

栗原　ええ。しかし、2度目の取材はさらに衝撃的でした。

青木　というと?

見渡す限りの遺骨

栗原　僕はその後も何度か硫黄島を現地取材し、2度目が2010年、2012年には遺骨収容のボランティアに参加する形で3度目、そして2018年にも4度目の取材をしています。

青木　その2度目となった2010年の取材というのは？

栗原　初めての硫黄島取材以後、こつこつと関連の取材を進めていましたが、2009年に戦後初の本格的政権交代によって民主党政権が誕生しました。そして菅直人首相が戦没者の遺骨収容政策に力を入れたんです。

青木　そうか、菅氏は自社さ連立政権下の1996年に厚生相を務め、厚生省（現・厚生労働省）は戦没者の遺骨収容作業を所管していますから、もともと遺骨収容政策に問題意識を抱いていたわけですね。

栗原　その菅首相がアメリカに阿久津幸彦・民主党衆院議員（当時）を特使として送り、米国立公文書館で資料を探し出した。硫黄島の滑走路の西側に2000体もの遺体を埋めた、という米軍関連の資料です。そして菅政権下で硫黄島の当該地域を掘ってみたら、実際に大量の遺骨が発見された。

そこで菅首相自身が現地を視察することになり、阿久津議員から僕にも声がかかったんです。「栗原さん、首相が今度現地を訪ねるが、一緒に現地を見てくれないか。あなたみたいな記者に見てほしいんだ」と。
　正直いって、うれしかった。僕は政治部の記者でもなんでもないのに、声をかけてもらって現地に行けることになったんですから。

青木　それは栗原さんが硫黄島の遺骨問題に取り組んでいた成果でしょうが、それで2度目の現地取材は首相同行の記者団と一緒に行くことになったんですね。

栗原　ええ。首相に同行する各社の政治部の番記者たちはみんな互いに顔見知りで、学芸部の僕だけ一見《いちげん》さんですから、なんだか居心地が悪かったですけれどね（苦笑）。

青木　でも、2度目の現地は初回以上に衝撃的だったと。

栗原　はい。自衛隊の輸送機で硫黄島の空港に降り立ち、そのまま15分ほどマイクロバスに乗って到着したのが、アメリカの公文書で2000体もの遺体が埋められたという場所でした。
　そこではすでに遺骨の収容作業が進められていて、ブルーシートの上に夥しい数の遺骨が並べられていたんです。決して大袈裟ではなく、見渡す限り遺骨、遺骨、遺骨……、一面に遺骨が広がる光景を前に、僕は言葉も出ませんでした。

青木　それが2010年の硫黄島取材だったということは、すでに戦後65年もの時が経過していたわけですね。それでも収容された遺骨は、明らかに人間の骨であることがわかるような形で残されていたんですか。

ボランティアと同じ目線で同じ体験を

栗原　もちろんです。地中から掘り出し、土などを払い落とした状態で白いシートに並べられていましたが、しっかりした大腿骨であるとか、あるいは頭骨などもたくさんあって、なかには治療痕のないきれいな歯が並んでいる頭骨もありました。

ああ、これは本当に若い人だったんだろうなと、それを見ながら僕は心底から呆然としました。だって僕、人間の骨を見るなんて、それこそ祖母の葬式以来でしたからね……。あまりのことに呆然と立ち尽くしていたら、遺骨収容作業にあたっている戦没者のご遺族から「手を合わせてあげてくれますか」って、本当に小さな声でそう言われて……。

恥ずかしい話ですが、本当は真っ先に手を合わせなければならないのに、茫然自失の僕はそれすらできていなかったんです。

さらにショックだったのは、遺骨を必死に掘り出す作業にあたっているのが高齢のおじいさん、おばあさんたちだったことです。彼ら、彼女たちは全員がボランティアで遺骨収容作業にあたっているんです。

青木　その点、僕は本当に知らなくて恥ずかしいのですが、現場で遺骨収容作業にあたっているのは、戦没者のご遺族の方たちなんですか。

栗原　遺骨収容作業というのは、もともと戦友とか戦没者のご遺族が中心となって行われてきたんです。収容作業自体はあくまでも国策として行われ、予算は国費が充てられているんですが、現場で収容作業にあたるのはあくまでもボランティア。もちろん厚労省の役人も行きますが、主力は戦友とかご遺族がボランティアで行っている。

でも、そんなことでいいんでしょうか。いうまでもなく戦没者は国の命令で戦闘に従事し、国のために命を落とした人びとですよ。しかも硫黄島は行政区分上も東京都の一部です。諸事情で収容が困難な外国や、国交のない地域ならともかく、現地には自衛隊員が200～300人もいる。

なのにこれでは、あまりに戦没者やそのご遺族に申し訳なさすぎる。明らかにおかしいし、どう考えても納得できない。

だから次はそれを追及する記事を書こうと思い立ち、でも書くからには僕自身も収容作業に直接関わらなければならないと考えました。ボランティアで収容作業にあたる人びとと同じ目線で、同じ体験をするんだと。

そこで2012年、もちろん僕が記者であるという身分も明かし、硫黄島での遺骨収容作業にボランティアとして参加させてもらったんです。

青木　それが3回目の硫黄島行きになったわけですね。

保守こそ熱心に取り組むべき

栗原　はい。その際も数えきれないくらいの……、決して比喩ではなく、本当に数えきれないぐらいの遺骨を掘り出しました。

青木　少し話が脇にそれますが、栗原さんの著書のなかに印象深い記述がありました。次のような一文です。

〈筆者はある時期から、戦後補償を実行する主体である国を動かすことを目指して取材と執筆を行っている。（略）「栗原さんがやっているのは、もう報道ではなくて運動だね」。知人からそう言われたことがある。「報道であり、運動なんですよ」と、私は答えた。「すべきことをしない為政者を動かすための」。〉（『硫黄島に眠る戦没者』より）

もちろん多くの記者やジャーナリストは数々のテーマを取材・報道する際、それによって社会が少しでも良くなることを願って活動しているわけですが、しかし記者やジャーナリストはあくまでも〝傍観者〟であって、当事者にはなれないし、なってはいけないというのがひとつの職業倫理という考えが主流です。

しかし栗原さんは、実際の遺骨収容作業にもボランティアとして加わり、ご自身の報道活動は政府を動かす「運動」でもあると訴えている。

栗原　これはテーマにもよると思うんです。ただ、この問題に関しては、政治的イデオロギーの右や左もない。戦没者の遺骨を可能な限り収容し、それをご遺族のもとに返すというのは、誰だってそうすべきだと考えるでしょう。僕が属している毎日新聞はもちろん、朝日新聞も読売新聞も、産経新聞だって同様のはずです。

青木　おっしゃるとおりですし、国のために命を落とした人びとの遺骨を可能な限り遺族のもとに返すという意味では、むしろ保守に属する人たちの方が……。

栗原　そのとおり、むしろ保守の人びとこそが本来は熱心に取り組むべきテーマのはずです。ところが遺骨収容に投じられる国費は、年間わずか数億〜20億円という状態が長く続いてきました。現在は30億円に増えましたが、これだって微々たるもので、そんな予算ではオスプレイ（米国製の軍用輸送機）1機すら買えない。

要するにこの国は、本気で戦没者の遺骨を収容しようなんて考えてこなかったんです。だから僕は、このテーマに関しては強い意志を持って運動家になろうと、記者であると同時に運動家になろうと思っています。

青木　もう一点、これも余談に属するかもしれませんが、戦後初の本格的政権交代を成し遂げた民主党政権は、しばしば無惨な失敗に終わったと総括され、保守を自称する安倍元首相などは「悪夢の政権」と盛んに詰《なじ》りました。

ただ、栗原さんが取材を続ける戦没者の遺骨収容については、むしろ民主党政権の方が熱心に取り組んで成果をあげたといえそうですね。

民主党政権は画期的だった

栗原　戦後補償という面でいえば、むしろ民主党政権は画期的な政権だったと僕は思います。硫黄島での遺骨収容作業にしたって、民主党政権以前は1年平均でわずか50体ほどしか収容されていなかったのに、菅直人政権下で一挙に800体もの遺骨が収容されました。

そのほか、シベリア特措法という法律ができたのも民主党政権下の2010年のことです。

青木　いわゆる「戦後強制抑留者特別措置法」ですね。先の大戦後、旧ソ連の捕虜となってシベリアやモンゴルに抑留され、強制労働などに従事させられた元日本兵らに特別給付金を支給することになった。

栗原　そうです。元抑留者たちは、過酷な労働の対価が支払われなかったと訴えて日本政府に補償を長年求めてきましたが、歴代の政権はまったく応じてこなかった。

正確に言えば、自民党と公明党の連立政権が2006年、10万円分の旅行券などを「慰労品」として元抑留者に配る法律を制定しましたが、元抑留者が求めているのは「補償」であって「慰め」ではない。僕は100人以上の元抑留者に取材してきましたが、「バカにしているのか」と心底憤る人もいました。

一方の民主党政権は2010年にシベリア特措法を作り、1人あたり25万円から150万円の給付を決定しました。これだって被害を考えれば微々たるものですが、しかし政府としての誠意と謝罪の意をそこに込めた。
僕自身は典型的な無党派で、別にどの政党も支持していませんが、戦後補償問題に関する民主党政権の姿勢は歴代の政権に比べてはるかに真っ当でした。

青木　そこでひとつ疑問が湧きます。昨今の「保守」を自称する政権や為政者はまさに「自称」であって、本来の保守とは程遠い独善性や排外主義ばかりが目立ちますが、戦後長きにわたって続いた「保守」政権は、なぜ戦没者の遺骨収容問題にこれほど冷淡だったのでしょうか。おっしゃるとおり、戦没者はまさに国のために命を落とした人びとであり、かつての自民党政権の為政者には、政治思想的な立場が右であれ中道リベラルであれ、あの凄惨な大戦経験者も多数いたわけでしょう。
ならば、もっと積極的に戦没者の遺骨収容問題に取り組んでもよかったように思うのですが。

諦めの感情が地下水脈に

栗原　難しい問題ですが、これはおそらく一般の国民、市民にも共通する感情として、諦めのようなものがあったんじゃないでしょうか。戦争なんだから、と。しかも戦争に負けたんだから仕方ないんだ、と。
実は僕、戦没者の遺骨収容問題に加え、民間人の空襲被害者への補償問題についても継続して取材してきました。端的に言って僕は、こちらもきちんと補償すべきだと考えています。しかし、それもなかなか実現しないのはなぜかといえば、この問題の研究で第一人者といえる一橋大学の吉田裕名誉教授（日本近現代史）によると、やはりどこかに諦めの感情があるんだとおっしゃるんですね。そんな諦めの感情が地下水脈のように流れてしまっているんだと。

しかも敗戦から長い時が経過し、政治家だってすでに3世、4世の時代になってきていますから。

青木　確かにそうかもしれません。また、先ほど栗原さんが指摘されたように、たとえばシベリア抑留問題などについては戦後長く続いた冷戦期、旧ソ連などに赴いての遺骨収容作業などは現実的に難しかったでしょう。

それはわかるのですが、しかし一方で硫黄島などに関していえば、これもまさに栗原さんのおっしゃるように自国の領土であって、それどころか行政区分では東京都に属している。ならば政治が遺骨収容を本気で進めようと思えば、いくらでも進められたはずです。

栗原　おっしゃるとおりです。旧ソ連や中国などは物理的にも作業が難しかったでしょうが、沖縄や硫黄島などはできた。硫黄島に関していえば、1968年6月まで米軍に占領されていましたが、以後はやろうと思えばできた。

ではなぜやらなかったかといえば、これはいま取材を進めている最中なのですが、基本的に防衛省・自衛隊は遺骨収容をやりたくなかったんだと思います。なぜかといえば、まず硫黄島は一時期、米軍の核基地でしたからね。

青木　米軍統治下の1950年代、硫黄島には米軍の核兵器が貯蔵されていたことが米側の機密文書などで明らかになっていますね。

栗原　しかも硫黄島の自衛隊基地は、現在も在日米軍が離発着訓練などを行っていますが、硫黄島には住民がいないから〝基地問題〟が発生しない。沖縄と違って、苦情を言う住民がいないからです。

記者としてのターニングポイント

栗原　しかし、もともと硫黄島には1000人以上の住民が暮らしていたんです。

青木　湧水は一切ないけれど、雨水などを溜めて生活し、それでも1000人程度なら水が不足することもなく、家畜を飼ったり田畑を耕したり、ほかにパイナップルなども自生していたりして、住民たちは長閑《のどか》な暮らしを紡いでいたとか。

栗原　そうです。しかし1944年7月に島民はほぼ全員が追い出され、現在も強制疎開状態が続いています。帰りたがっている人もいるのに、断じて帰らせようとしない。だから政府や米軍にとって厄介な〝基地問題〟も発生しない。

青木　要するに自衛隊にしても米軍にしても、そういう〝便利な基地〟として硫黄島を縦横に活用するため、一般人をできるだけ近寄らせたくなかったと。

栗原　僕はそう考えています。

青木　しかし、お話をうかがっていると、栗原さんの記者人生は硫黄島と出会って大きく変わりましたね。ご自身では〝8月ジャーナリズム〟を一年中やっているから〝常夏記者〟と称されることもあるようですが（笑）。

栗原　そうですね。２００６年に初めて硫黄島へ行ったことも大きかったけれど、夥しい数の遺骨を眼前に見た２０１０年の体験はやはり大きかった。

　そして２０１２年に遺骨収容のボランティアに参加した際は、僕もたくさんの遺骨を掘り出しました。きちんとした骨もありましたが、60年以上も経っていますし、硫黄島の土は酸性が強いので骨が脆《もろ》くなってしまっていて、少し力を入れるだけで粉状の骨片になってしまうんです。それはもう持ち帰れないから、もとの場所に埋め直すしかない。

　そんな取材体験が僕にとっては記者としての決定的なターニングポイントになりました。もともとは新聞記者として、追いかけたいテーマはいろいろありました。原発や子どもの貧困など……。でも、硫黄島に関わったことで「自分は戦後補償の問題をずっと追いかけるんだ」と決意したんです。

青木　そして現在もこの問題に取り組み、ご著書でも強く訴えていますが、政府は単に遺骨を収容するだけでなく、収容した遺骨をきちんと遺族のもとに返すための努力を尽くすべきだと。

栗原　そうです。そこが非常に重要な点です。政府による従来の遺骨収容作業は、単に収容するだけでしたが、ＤＮＡ鑑定などを積極的に活用して遺族への返還を進めていくべきです。

政府が働きかけるのが筋

栗原　実をいうとＤＮＡ鑑定自体は厚労省が２００３年からスタートさせているんですが、僕の本でも書いたとおり、本人が類推できる遺品が一緒に出てこないと鑑定してもらえなかったんです。これを〝遺品縛り〟といって、たとえば印鑑とか名前入りの万年筆とか、そんなものが出てこないと現実には鑑定をしてくれない。

青木　印鑑って、戦場でそんなものを持ち歩く兵士なんてほとんどいないでしょう。

栗原　まったくそのとおりですよ。僕は沖縄でも遺骨収容を進めるための調査に同行し、多くの遺骨を探しましたが、そんなものが出てくるケースなんてほとんどありません。つまり、〝遺品縛り〟というのはＤＮＡ鑑定をやらないための理由づけのようなものです。

一方、政府や厚労省の言い分にも一理はあって、たとえば事件捜査で実施されるＤＮＡ鑑定は、現場に残された髪の毛や体液などと容疑者本人のＤＮＡ型を突き合わせるわけですね。

しかし、戦没者の遺骨はご遺族のＤＮＡ型と照合することになります。しかも何十年もの年月が経過した遺骨と、場合によっては遠い親戚のＤＮＡ型とを照合することになりますから、ミスマッチが生じかねない。だから遺品も必要だという理屈はわからなくもありません。

でも、最初から遺品がなければ照合しないというのは間違っていると僕は思う。鑑定技術も日々進歩していますし、遺骨を収容したらとりあえずすべてＤＮＡ鑑定を施し、それをデータベース化しておいて、遺族から希望があれば照合作業をすればいい。

いや、本来は政府から遺族に働きかけ、「照合作業をしませんか」と促すのが筋でしょう。国のために命を落とした人びとなんですから、最後まで国の政府が責任を持つのが当然です。

そう訴える記事を僕は２０１２年の段階から書いてきましたし、その記事を読んで国会で政府を追及してくれた議員もいました。

結果、２０１６年になって厚労省は、沖縄の4地域に限って〝遺品縛り〟を外しました。遺品がなくても紙の記録、たとえば○○部隊の栗原某がここにいたという記録があり、そこから遺骨が収容されたら、遺品がなくても鑑定しましょうということになった。

それが翌２０１７年になると、沖縄県南部の糸満地域などを含む10地域まで対象が広げられました。自分で言うのも何ですけど、僕の記事の影響も大きかったと思います。

ならば沖縄だけでなく、これが硫黄島でできないはずがありません。あとは予算の問題です。だってそんなこと、アメリカだって韓国だって各国が当たり前のこととしてやっていることなんですから。

戦争責任の問題にまで

青木　そこです。栗原さんの著書の中でさらに興味深かったのは、戦争で命を落とした自国兵士に対する各国の態度でした。

栗原　たとえばアメリカは国防総省にＤＰＡＡ（捕虜・行方不明者調査局）という組織があって戦死者の遺骨収容も担当し、少し前に僕の先輩記者が幹部にインタビューしています。

それによると、ＤＮＡ鑑定は骨の状態にもよりますが親指の爪くらいの小さな骨からでも可能らしく、そもそもアメリカは世界で年中戦争をしていますから、出征する時に兵士からＤＮＡを採取しておくんですね。もし戦死した場合、それを遺骨と照合する。

青木　つまりアメリカという国は、戦争で命を落とした自国兵の遺骨はすべてを、もちろん現実的には不可能な場合もあるでしょうが、基本的には全戦死者の遺骨を収容すると。そしてそれを何としても遺族のもとに返すと。ある意味でそれを国是にしているということですか。

栗原　国是です。思い出してほしいのは、２０１８年６月に初めて実現した米朝首脳会談です。

アメリカのトランプ大統領と北朝鮮の金正恩委員長がシンガポールで初会談し、それ自体が大きなニュースとなって世界を駆け巡りましたが、僕がのけぞったのは両首脳が発表した共同声明です。わずか４項目ほどの声明なのに、そこには「朝鮮戦争で行方不明になった米兵の遺骨回収、遺体の帰還に取り組む」と明記されていました。

青木　米軍中心の国連軍が参戦した朝鮮戦争の休戦協定が結ばれたのは１９５３年。それから半世紀をはるかに過ぎても、アメリカという国は戦死者の遺骨を断固として回収する意思を示し続けている。

栗原　そうです。アメリカに限った話ではありませんが、自国のために死んだ兵士と遺族を徹底して遇するのは、ある意味で国として当然のことでしょう。

青木　となると戦後の日本はなぜ、特に歴代の「保守」政権はいったいなぜ、先の大戦で亡くなった戦没者の遺骨収容にここまで消極的だったのかという疑問に再び戻ってきます。

栗原　空襲被害者に補償しない理屈とも関わってくると思うのですが、これを最後まで突き詰めていくと、おそらくは戦争責任の問題に行き着いてしまうのも大きいのではないでしょうか。だってそうでしょう。空襲被害者への補償にせよ、戦没者の遺骨収容にしても、その必要性の意味と責任の所在を突き詰めれば、なぜあんな戦争になってしまったのかという根源的な疑問に行き着かざるを得ない。

ではあんな無茶な戦争を誰がやったのか、たとえば対米開戦を決めた東条英機内閣の閣僚には岸信介氏もいたじゃないかと、そんな話になっていかざるを得ない。

もちろん個々人の政治家たちがどこまでそれを意識しているかはわかりませんが、戦後の「保守」を自称する人びとにはそういう潜在観念、ある種のアンタッチャブル感があったのではないでしょうか。

これは国家の意思の問題

青木　そう考えると、この国の戦後政治はいろいろな意味で捻《ねじ》れていることにあらためて気づかされますね。
　昨今の自称「保守」というか、ナショナリストというか、そうした為政者たちは盛んに「愛国」を唱え、果ては「日本は悪くなかった」などと歴史修正主義的な言辞を口にして「戦後レジームからの脱却」を訴えるけれど、あの大戦で命を落とした人びとの遺骨収容にもっと目も向けないのはおかしい。靖国には国の英霊が祀られている、というのなら、それと同じ熱意で遺骨収容に取り組むべきだと。
栗原　僕はそう思います。これは国家の意思の問題です。もっと直截に言えば、単に予算の問題とも言える。
　実をいうと２０１９年７月、厚労省は硫黄島で収容された遺骨についても〝遺品縛り〟を解いたんです。
青木　そうなんですか。それも栗原さんの記事の影響は大きかったのでしょう。
栗原　だと嬉しいのですが、硫黄島で〝遺品縛り〟を外したらどうなったか。1年間で2体もの身元が判明したんです。たった2体かと思われるかもしれませんが、それまで２００３年から20年までで2体しか身元がわかっていなかったのに、〝遺品縛り〟を外した途端に2体です。
青木　ということは、もっと早くに〝遺品縛り〟を外していれば、ひょっとして二桁か、それ以上の身元が判明したかもしれない。
栗原　そのとおりです。しかもその間、高齢のご遺族は次々に亡くなっていってしまいました。現在は〝遺品縛り〟はすべて外されましたが、もっと早く外していれば、どれほど多くの遺骨がご遺族のもとに還れたか。

硫黄島の戦没者遺骨の収容問題についてさらに言えば、これは日韓の外交問題なども絡んでくるんですね。

青木　どういうことですか。

米兵の遺骨も含まれている可能性が

栗原　実は硫黄島でも朝鮮半島出身の人がたくさん亡くなっているんです。つまり硫黄島で収容された遺骨の中には朝鮮半島出身者、現在の韓国や北朝鮮出身の方のものも含まれている可能性が極めて高い。
だから本来なら、国交すらない北朝鮮は現状で難しいかもしれないけれど、韓国については韓国政府を通じてご遺族に「DNA鑑定をしませんか」と呼びかけるべきです。
青木　しかし、そのようなことをすれば日韓両国間の戦後補償問題が再燃しかねないと日本の政権や外務省は考える。
栗原　だからものすごく腰が重い。でも、日本のために命を落とした人びとに最後まで敬意を払う、というのは当然のことではありませんか。当時の朝鮮半島は日本の統治下にあったわけですから。

青木　特にナショナリストや愛国者を自ら名乗る人びとならなおのこと、ですね。

栗原　ええ。そして最後にもうひとつ、どうしてもお話ししておきたいのは、沖縄で現在進行形の問題です。

青木さんもご存知のとおり、政府は沖縄県名護市の辺野古沖で米軍基地建設を進めていますが、その埋め立てのために県南部の土砂を使おうとしていますね。

青木　生態系保存などのために本土の土砂を使えない条例が沖縄にはあって、窮した政府・防衛省は沖縄県南部地域の土砂を埋め立てに使うと言い出しました。

ただ、南部地域は大戦末期の沖縄戦の激戦地ですから、いまも収容されない遺骨が含まれていると沖縄では強い反発が広がっています。

栗原　そう、これは沖縄で遺骨収容に関わった僕は断言しますが、政府・防衛省が埋め立てに使うと主張している地域の土砂には、１００パーセント確実に遺骨が含まれています。そして、おそらくは米兵の遺骨もそこには含まれています。

僕の記事を読んでくれた立憲民主党の白真勲参院議員（当時）が、２０２１年6月3日の外交防衛委員会で質問してくれました。「埋め立てに使うという南部地域の土砂には、米兵の遺骨も含まれている可能性があるんじゃないですか」と。政府側もそれを否定しませんでした。

青木　沖縄戦で亡くなった人びとの遺骨が眠る土砂を基地建設のための埋め立てに使うのはあまりに非人道的でグロテスクですが、米兵の遺骨までが米軍基地建設の埋め立てに使われるとなれば、アメリカ政府だって黙っていないかもしれない。

栗原　ええ、アメリカがどう出るかはわかりませんが、これは徹底した人道問題であり、国家の意思の問題です。だから僕は今後もこの問題を取材し続けるつもりです。「報道」であり、「運動」として。

青木　今後の栗原さんの健筆、刮目《かつもく》して拝読します。

（2023年6月13日）

栗原俊雄　くりはら・としお

1967年生まれ、東京都出身。毎日新聞記者。早稲田大学政治経済学部政治学科卒、同大学大学院修士課程修了（日本政治史）。1996年、毎日新聞社入社。2019年から専門記者（日本近現代史、戦後補償史）に。主な著書に『戦艦大和 生還者たちの証言から』『シベリア抑留 未完の悲劇』『遺骨 戦没者三一〇万人の戦後史』（以上岩波書店）、『20世紀遺跡 帝国の記憶を歩く』（角川学芸出版）、『「昭和天皇実録」と戦争』（山川出版社）、『特攻 戦争と日本人』（中央公論新社）、『戦後補償裁判 民間人たちの終わらない「戦争」』（NHK出版）など多数。2009年、第3回疋田桂一郎賞（新聞労連主催）、2018年第24回平和・協同ジャーナリスト基金賞奨励賞（同基金主催）を受賞。

第9章 金英丸

日韓関係において真の謝罪とは何か

韓国で元徴用工や元慰安婦の支援に奔走している者たちといえば、目を吊りあげて「反日」を呼号する、そんな偏頗な活動家連中に違いないと捉える者が、昨今のこの国では相当に多いのではないだろうか。だが、それこそがひどく偏頗な偏見であることを、本編の金英丸さんインタビューを読めば気づかされるだろう。

元徴用工の支援にとどまらず、戦前戦中の日本統治によって引き起こされた被害や歴史研究などにも取り組む韓国の市民団体「民族問題研究所」の幹部である金英丸さんは、北海道や高知県に長く暮らし、いまも盛んに両国を往来しつつ、各地の人びとと親交を紡いでいる。

だからとても流暢な日本語を操り、私が下手な韓国語を使うまでもなく、このインタビューも日本語で行われた。「親日派」は現代韓国で侮蔑語になっているが、この国を知悉し、人や食や文化に愛情を抱いているという意味では、生粋の「知日派」である。

もちろん、朝鮮半島を統治したかつてのこの国のありようや歴史には深い憤りと問題意識を抱いている。だが、その佇まいに「反日」などというレッテルは相応しくない。インタビュー本編から浮かびあがるのは、かつてのこの国の統治によって被害を受けた人びとに寄り添い、その人権と名誉を回復したいと懸命に奔走する姿であり、それはむしろ世界的に高まる過去の帝国主義や植民統治の捉え直し、あるいはそれによる被害者個々の人権、名誉や被害回復を目指す潮流にも合致している。

少なくとも、元徴用工や元慰安婦問題をめぐる日韓の葛藤を「歴史問題」、または「歴史認識問題」とのみ捉えることが過ちであり、ましてそれを「歴史戦」などと称して目を吊りあげる態度がいかに愚かかを、このインタビューは教えてくれるはずである。

青木理（以下青木）　いわゆる元徴用工問題の〝解決策〟を韓国の尹錫悦《ユン・ソンニョル》大統領が示し、久しぶりとなる日韓首脳会談が東京で先日（2023年3月16日）行われました。

ごく簡単に言えば、韓国政府傘下の財団が韓国企業などから寄付を募り、元徴用工らへの賠償金支払いを肩代わりするという内容で、尹政権は日本側にも「相応の呼応」を求めています。金英丸《キム・ヨンファン》さんは長年にわたって元徴用工の支援にあたってきたわけですが、率直に今回の〝解決策〟をどう捉えていらっしゃいますか。

金英丸（以下金）　今回の首脳会談で一番印象に残り、また驚いたのは、会談後の共同会見での尹大統領の発言でした。

尹大統領は会見で、日本企業に賠償を命じた2018年の韓国大法院（最高裁）判決について、「1965年の協定をめぐる韓国政府の解釈と異なる」と明言しました。これを日本の首相の前で、あるいは世界も注目する共同会見で口にしたのは信じがたいことです。

青木　そのあたりの問題点を理解するには、まずは簡単に歴史をおさらいしておく必要があるでしょう。

元徴用工問題の起源とは

青木　日本で一般的に言う元徴用工とは先の大戦中、朝鮮半島から日本の工場や炭鉱などに動員された人びとです。その中には強制された人も騙された人も数多くいた。

そして日韓両国は戦後、長期の交渉を経て1965年に国交を正常化しました。この際、日本側は有償無償合わせて計5億ドルの「経済協力資金」を提供し、双方の「請求権」については「完全かつ最終的に解決された」とする請求権協定も結ばれました。

ただ、当時の韓国は軍事独裁政権で、そもそもこの国交正常化自体、冷戦体制下における日韓両政権の政治的妥協の色彩が強いものでした。だから国交正常化に伴う諸協定も、日韓双方が互いに都合のいい解釈をする余地を残して矛盾に蓋をし、日本が提供した資金も軍事独裁政権が経済開発に振り向け、被害者たちが顧みられることはありませんでした。

その後に韓国は民主化を果たし、軍事独裁政権下で圧殺されてきた声、つまりは65年協定で蓋をした矛盾が噴出した。元徴用工問題をめぐっては、被害者が日韓両国で訴訟を起こし、そして2018年に韓国大法院が日本企業に賠償を命じたわけです。今回の尹大統領の発言は、これらを根底から覆すものだということですか。

金　ええ。これは基本的に大法院判決を無視し、司法判断を否定するものです。だから韓国内では憲法違反だという声もある。

しかも尹大統領は65年協定に関する韓国側の解釈まで堂々と捻じ曲げてしまった。ひょっとすると大法院判決本来の意味すら理解していないのではないか、と疑いたくなるほどです。そのほかにも今回の尹大統領の言動には驚くものがありましたから。

青木　というと？

金　たとえば「求償権」に関する発言です。尹大統領は今回の訪日直前、読売新聞の単独インタビューに応じて求償権に言及し、「将来的にも行使することにはならないという見方を示した」と報じられました。首脳会談後の共同会見でも「求償権の行使は想定していない」と尹大統領が明言しています。

青木　尹大統領が今回示した〝解決策〟に従えば、賠償相当額を元徴用工らに支払う韓国政府傘下の財団は、日本企業に弁済分の返還を求める求償権を法理論的には持ちます。そして韓国民法が定める求償権の消滅時効は10年ということですね。

金　そうです。一方で尹大統領の任期は残り4年ですから、その後の6年のことに言及する資格などありません。なのに「将来的にも行使しない」などと断言するのは、被害者の未来の権利まで無責任に閉ざすものです。

それからもうひとつ、今回の共同会見で問題だったのは、いわゆる元徴用工問題について岸田首相が「旧朝鮮半島出身労働者問題」という表現を公式に使い、尹大統領も異議を唱えなかった点です。

青木　そのあたり、日本の人びとにはわかりにくいでしょう。どういうことですか。

大法院判決は誤ったものなのか

金　この「旧朝鮮半島出身労働者問題」という言い方は、2018年の韓国大法院判決の後、当時の安倍政権が使い始めた表現です。これは明らかに動員の強制性を弱めるための言い換えであって、私に言わせれば歴史的事実の否定です。それを尹大統領も認める形になった。

結局のところ尹政権の基本的な認識は、2018年の大法院判決が誤ったものであって、それが日韓関係を悪化させた原因だということなのでしょう。だからそれを正すことが必要で、それが日韓関係を改善させることにつながると捉えている。

しかしそれは憲法に反し、三権分立にも反し、結果として1965年の日韓協定と同様、個人の人権を無視して踏みつけることになると私は考えます。

青木　そのあたりをさらに詳しくお聞きしたいのですが、今回の尹政権の動きは、どうやら日韓関係の改善だけを念頭に置いたものではなさそうですね。

金　おっしゃるとおり、すべては尹政権に都合のいい外交日程、政治日程から逆算して〝解決策〟を提示し、今回の首脳会談も行われたということでしょう。

青木　ええ。今回の尹政権の動きもまた米国の意向が色濃く反映されているのは間違いありません。尹大統領は2023年の4月に初の訪米を控え、バイデン政権は国賓として招くと表明しました。バイデン政権下で外国首脳の国賓訪米はマクロン仏大統領に続く2例目ですから、尹大統領としては大きな政治アピールの場になる。

また、5月には広島でG7サミットが予定され、ここにも尹大統領が招かれて日米韓の首脳会談が行われます。北朝鮮への強硬姿勢を貫く尹大統領としては、韓国内の保守支持層なども意識しつつ、こうした外交スケジュールの前に日韓関係の改善を急ぐ必要があったのでしょう。

金　その結果として進むのは、北朝鮮に加えて中国の脅威を梃子にした日米韓の軍事的協力です。しかし、これは果たして日本にとってもいいことなのでしょうか。私は東アジアに緊張と紛争を招きかねないものだと強く危惧していますし、日本でも敵基地攻撃能力の保有であるとか防衛費倍増であるとか、そうしたものに危機感を感じている人が多いのではないですか。

青木　その危険性については後ほど触れたいと思いますが、まずは元徴用工問題と日韓関係の今後です。

韓国には韓国の言い分があり、日本には日本の主張があって、だから両国が衝突しているわけですが、ここはあえて日本側の立場からお尋ねします。どちらの主張に理があると捉えるかは別としても、まずは双方の認識の違いを理解することが重要だと考えるからです。

変わってきた人権意識や国際感覚

青木　最初に2018年の韓国大法院判決についてですが、これは元徴用工らへの賠償を日本製鉄や三菱重工業に命ずるものでした。ただ、これは1965年に解決済みではないか、と捉えている人が日本には多いでしょう。日本側は有償無償合わせ5億ドルを提供し、請求権協定は「完全かつ最終的に解決」と明記された。「経済協力資金」という形での解決が適切だったか否か、金額が妥当だったか否かはともかく、それで両国の政権が妥結した以上、あとは韓国内の問題じゃないかと。この点はどう考えますか。

金　ならば、やはり2018年の大法院判決の意義をあらためて説明する必要があります。ポイントは3点あります。まず判決は、朝鮮半島に対する日本の植民地支配を「不法」だったと明確に断じました。これはまさに65年の諸協定が曖昧にした部分ですね。

青木　ええ。1910年のいわゆる韓国併合条約について、65年の日韓基本条約は第2条で「もはや無効」と記しましたが、これを日本側は「かつては合法で有効だったけれど、敗戦後に無効になった」と解釈し、韓国側は「もともと不法で無効だったことが基本条約で確認された」と解釈した。まさに双方にとって都合のいい解釈の余地を残した政治的妥協です。

その意味で言えば、韓国大法院判決が植民地支配を「不法」と断じるのは、従来の韓国側の解釈に基づくものにすぎません。しかも当時の軍事独裁から民主化を果たした韓国は、かつてより人権意識も国際感覚も飛躍的に高まっています。

金　そう、そこが肝心です。なのに尹大統領は大法院判決を否定してしまった。もうひとつのポイントは、そもそもこの問題の裁判が日本でスタートしたという点です。いわゆる元徴用工やその遺族、韓国でいう強制動員の被害者たちが日本の市民団体の支援も受けて90年代から裁判を起こし、最終的にはいずれも敗訴しましたが、日本の司法も強制動員の事実は認め、65年の諸協定でも個人請求権までは失われていない、個人の請求権はいまも生きていることも認めました。これは日本の最高裁判決にも記され、日本政府も韓国政府も一致して認めている事実です。

2018年の大法院判決はそれを土台にしています。つまり、韓国の裁判所が一方的に出した判決ではなく、日本での裁判が判決の土台になっている。逆にいえば、日本での裁判がなかったら韓国大法院の判決もなかった。

これが何を意味するかといえば、日本と韓国の市民社会が被害者と連帯し、被害者の人権が踏みにじられた〝65年体制〟を乗り越えた、ということです。

そして最後にもう一点、これはかつての植民地主義を克服するための大切な一歩であり、同時に被害者の人権や尊厳回復のためのものであるということ、これを日本の人びとにも理解していただきたいと思います。

青木　単に日韓両国だけの問題ではないと。

人権と尊厳を回復するという問題

金　そうです。個人の基本的人権や被害救済を重んじ、かつての植民地支配の不当性を捉え直す動きのひとつでもある。

世界的に見ても近年は旧帝国主義諸国による植民地支配の不当性とその克服に向けた動きが強まり、２００１年にはいわゆるダーバン宣言が採択されています。国連が主催する「人種差別反対世界会議」が南アフリカのダーバンで開かれ、過去の奴隷制などは「人道に対する罪」であり、植民地主義と合わせてその不当性を強く非難する宣言が採択されたのです。

韓国大法院判決も、その流れに沿った画期的なものだったと私は捉えています。韓国には国家人権委員会という機関があって、その委員長も同様の声明を出しています。この国家人権委員会というのは日本にないので、わかりづらいかもしれませんが……。

青木　政府から独立した立場で人権の保護や人権侵害からの救済にあたる国家機関で、実はこれが存在しない日本の方がむしろ異常なんですよね。先進民主主義国では多くの国でそうした人権機関がつくられていて、韓国では金大中《キム・デジュン》政権下の２００１年に国家人権委員会が創設されています。

金　その国家人権委員会の委員長が「第三者弁済」について、つまり尹政権の〝解決策〟について声明を出したことがあります。

どのような内容かというと、これは単なる債務関係の問題ではなく、基本的には人権侵害の問題であり、謝罪などを通じた人権と尊厳の回復に関する問題なのだと、声明はそう指摘しました。だから日本政府と日本企業が植民地時代の強制動員、そしてその不法性を認め、被害者と遺族に謝罪すること、それが日韓の和解と未来志向の協力のためには必要なんだと。

つまり、これは単に日本と韓国の外交問題、歴史問題ではなく、基本的人権の問題なのだということです。その点を日本のみなさんに理解していただきたいですし、そもそもの経過を振り返れば、日韓の心ある市民団体、市民が一緒に取り組んできた問題でもあることを私はあらためて強調したいんです。

青木　元徴用工問題にせよ、元慰安婦問題なども同様ですが、日本ではこれを韓国との外交問題、あるいは歴史問題としてのみ捉え、一部のメディアや政治家は「歴史戦」などといきり立っているけれど、これは植民地支配下で引き起こされた深刻な人権侵害の問題だと捉える視点も必要だということですね。

しかも1965年の国交正常化の際も韓国の軍事独裁が被害者の声を踏みにじったという意味でいえば、韓国政府にも重大な責任がある。つまり戦時や独裁政権の下、国家とか軍に人権を蹂躙された被害者の人権回復、尊厳回復の問題でもあると。

金　そのとおりです。

青木　それにしても、韓国で元徴用工の支援活動に取り組んでいると聞けば、日本では強固な「反日」活動家だろうと思われがちですが、こうやってお話しすればわかるとおり、実は金英丸さんご自身、相当な〝知日派〟ですね。このインタビューも流暢《りゅうちょう》な日本語で応じてくださっていますし、かつて日本に長期滞在されていたこともある。

重視されるのは国家権力同士の決着

金　私の母は東京の北千住生まれで、私は学生時代から日韓の市民連帯をテーマに活動をしてきました。北海道に長く滞在したこともありましたし、2002年から06年までは高知県で暮らしていましたから、私にとって高知は第二の故郷みたいなものです。いまも日本にはしょっちゅう行きますし、友だちもたくさんいるし、つい先日も沖縄を訪ねてきたばかりですよ。

青木　ということは、誤解を恐れずにいえば〝日本好き〟(笑)。

金　そうそう、決して「反日」なんかじゃありません(笑)。

青木　だから遠慮なく聞いてしまうのですが、最悪状態の日韓関係をこのままにしておくわけにはいかないのもまた事実でしょう。とすれば今回の尹政権の〝解決策〟も、金英丸さんが指摘される問題点はあるにせよ、ある意味で関係改善のチャンスとも捉えられる。

僕はこの2月に韓国を訪ねて元徴用工やその弁護人、あるいは賠償金を肩代わりする財団関係者らを取材してきましたが、これを機に岸田首相があらためて真摯な謝罪を表明し、せめて日本製鉄と三菱重工業が財団に資金を拠出すれば、韓国内の受け止め方も相当異なったものになったのではないかと、そんな声を数多く耳にしました。

だから尹大統領も「誠意ある呼応」を日本側に求めた。しかし、残念ながら岸田政権の対応はほぼゼロ回答です。僕自身、昨今の日本政治や外交の狭量さというか、韓国との関係では一歩でも譲ったら負けだといった非常にナショナリスティックな硬直性に嫌気がさしていますが、ある意味で「もったいない」とも思ってしまうのです。尹政権の譲歩に「誠意ある呼応」を示せば、日韓関係を大きく改善させられるチャンスなのに、と。

金　おっしゃることはわかります。ただ、私たちは今回の動きの背景にも目を凝らす必要があります。まずは、先ほども少しお話ししたとおり、なぜ今回の動きが起きてきたか、という問題です。

振り返ってみれば、1965年の国交正常化も米国の意向によるものでした。米国の意向とその圧力によって日韓の国交正常化が急がれ、そこでは個人の人権、被害者の声などは完全に無視された。

青木　厳しさを増す冷戦体制下、共産主義陣営と対峙した米国の主導で日韓は国交を正常化し、以後も軍事独裁の韓国は冷戦の最前線に置かれ続けました。

さらに歴史をさかのぼれば、日本の敗戦によって植民地支配から解放された朝鮮半島そのものが戦火の現場となり、朝鮮戦争では数百万の人びとが犠牲になって半島は焦土と化し、いまなお南北に分断されて統一が果たされていない。

その朝鮮戦争が戦後日本の経済成長の跳躍台にもなったわけですから、韓国との関係における歴史的責任を日本はよく自覚すべきだと僕は思いますが、おっしゃるように戦後の日韓関係も米国の意向で規定されてきたのは事実でしょう。

金　今回もそうです。北朝鮮や中国の脅威を睨《にら》み、日米韓の軍事協力の必要性から尹政権の動きは出てきた。その際に重視されるのは国同士、つまり国家権力同士の〝決着〟であって、そこには安全保障と歴史や人権問題が交換される構図が生じます。言葉を換えれば、安全保障の名目で個人の人権が差し出されてしまう。

おかしくなった日韓関係

金　ですから韓国の朴振《パク・チン》外交部長官（外相）が3月6日にソウルで記者会見して〝解決策〟を発表した際、時差の関係で米国は日曜の夜だったのに、バイデン大統領がいち早く歓迎声明を出し、ブリンケン国務長官も「記念すべき成果を称賛する」という声明を出しました。

一方の尹大統領がどうかといえば、日韓首脳会談が実現した後はその成果を盛んにアピールしつつ、強制動員被害者の人権を重視する発言はほとんど口にしていません。また、そうして成し遂げられた日韓首脳会談を受けて現実に進められているのは日米韓の軍事協力です。繰り返しになりますが、これは日本にとっても決していいことではなく、東アジアの緊張が高まって日韓が戦争に巻き込まれる道につながりかねません。

そしてもうひとつの問題にも目を配る必要があります。実は尹政権が示した〝解決策〟、つまりは〝第三者弁済案〟そのものがこの問題をさらに複雑化させ、解決をさらに難しいものにしかねないという点です。

青木　その点については僕も強く危惧しています。しかも日本側がこのまま「呼応」を示さなければ、その懸念はさらに強まってしまうでしょう。

金　現実に韓国では世論も強く反発し、尹政権の〝解決策〟には6割が反対しています。また、なによりも生存されている元徴用工の原告3人は財団からの弁済受け取り拒否を明言しています。結局のところ、この問題は根っこからの解決などなされていません。

皮肉を込めていえば、今回の〝解決策〟は日韓の合意ではなく、尹政権が一方的に発表したものだから、われわれが抗《あらが》って撤回させればいいだけだ、と訴える元徴用工の支援者もいるくらいです。ただ、実際に撤回されることになれば、今度は日本側から「ゴールポストをまた動かした」と批判されるでしょう。2015年のいわゆる慰安婦合意がまさにそうでした。

青木　当時の安倍政権と朴槿恵《パク・クネ》政権による合意ですね。旧日本軍による慰安婦問題に関し、日韓の外相が15年12月に共同会見して正式発表されました。当時の岸田外相は慰安婦問題について「軍の関与の下に多数の女性の名誉と尊厳を深く傷つけた」と旧日本軍の関与を認め、安倍首相を主語として「心からのお詫びと反省」を表明し、韓国政府が設立する団体に日本政府の予算から10億円を拠出することも決めました。

ただ、これも振り返ってみれば、背後では米国の意向が強く働いていて、安倍首相は決して合意に積極的ではなかったのでしょう。だから合意発表は岸田外相が訪韓して行い、直後には合意の意義を否定するような発言が日本の与党内から、果ては安倍首相やその側近からも飛び出し、韓国内の反発を強めてしまいました。

結局、韓国の政権が保守派の朴槿恵氏から進歩派の文在寅《ムン・ジェイン》氏に交代して合意も破棄されてしまいましたが、もし安倍首相自身が訪韓して真摯な謝罪を直接表明し、朴槿恵大統領とともに合意の意義を真摯に訴えていたらどうだったか。ひょっとするとその後の経過も違ったのではないかと、これも僕などは残念に思ってしまうのですが。

金　やはり最大の本質は問題の根っこが解決されていない、という点に尽きるのだと私は思います。根っこの部分を解決しようとしなかったから2015年合意は何も解決できず、むしろ日韓関係をさらに悪化させる結果になってしまった。日本側は韓国の民間団体が設置した「平和の少女像」(在韓日本大使館前に市民団体が設置した、いわゆる「慰安婦像」)を撤去しろなどといい出し、それに反発する大きなデモが韓国で行われ、現実に日韓関係はおかしくなっていった。

それに私は、両国の政権やメディアなどが盛んにいう日韓関係の悪化というのが一種のレトリックというか、両国の政府レベル、政権レベルのブラフ、脅しではないかと考えているんですよ。

青木　どういうことですか。

若年層の政府への反発

金　先ほどもお話ししたとおり、私はつい先日も沖縄に行ってきましたが、コロナ禍も一段落し、沖縄行きの機内は完全に満席でした。沖縄に限らず、韓国から日本行きの飛行機は軒並み満席ですよ。特に若者たちは買い物や観光、グルメや遊びで日本を心から楽しんでいる。日本でも若者たちには韓国のポップカルチャーが大人気で、韓国各地の飲食店や観光地は日本の旅行客で溢れかえっています。

これを見ると、基本的に市民レベルでの日韓の相互理解と交流はかつてないほど深まっている。一方、政府レベルでの関係は確かに最悪の状態で、このままでは若者たちや文化交流にも悪影響を与えかねないというけれど、それはちょっと違うのではないかと私は思うんです。

もちろん自治体や公共団体間の交流は途絶えているものがあるでしょう。しかし、韓国の若者はそんなものはお構いなしに日本を訪ね、東京ディズニーランドに行ったり、大阪の道頓堀に行ったりして日本を楽しみ、逆に日本の人びとも韓国での観光を心から楽しんでいる。むしろ若年層を中心とした日本と韓国の市民交流と相互理解は、もはや確固として揺るぎないものになっているのではないでしょうか。

それでも日本では、韓国内にいまだ「反日」意識が強いと考えている人が多いでしょう。保守も進歩も、与党も野党も、ことあるごとに「反日」を政治利用する傾向が強いと、そんなふうに日本ではしばしば言われますが、これはもはや間違った認識で、韓国は変わりました。特に若年層は、そうした意識はほとんど持っていない。

もちろん、最近では安倍政権が韓国に対して半導体材料の輸出規制に乗り出した際は、若年層を中心に日本製品の不買運動が起きました。ただ、これは「反日」というより、プライドを傷つけられたという感覚に近いと思います。安倍政権の措置は明らかに筋違いであり、乱暴であって、それに対して自分たちに何ができるかと考えたら、日本製品を買わないことだという文脈で不買運動は起きた。

今回の尹政権の〝解決策〟にも、若年層は強く反発していますが、その底にあるのは、個人被害の救済を重視する人権感覚の広がりでしょう。被害者がそんなお金は受け取れないと言っているのに、支持率も高くない政権が勝手に決めたことへの反発が若年層には強い。これを「反日」とかナショナリズムの文脈で捉えるのは間違いだと思います。

青木　そのあたり、最近の韓国のムードをもう少しうかがいたいのですが、韓国のポップカルチャーやグルメ、コスメなどが日本の若者たちに大人気なのと同様、韓国の若者たちは以前から日本の文学、音楽、映画やアニメが大好きで、最近の調査だと旅行で行きたい国のトップが日本だそうですね。

金　ええ、いまは日本がトップです。

政治的にも経済的にもフラットな関係

青木　つまり、中高齢者層と若年層では日本に対する感覚もかなり違ってきた。

金　いまの韓国の若者たちは、かつてのような愛国教育を受けていません。私たちの世代が猛烈に受けた反共教育、反北朝鮮教育も受けていない。だから日本という国についてもフラットに見ていて、日本は美味しいものがたくさんあって、アニメや漫画も面白いし、文化的にも韓国と近く、気軽に行き来できる国、楽しく旅行をできる国のひとつと捉えています。

ただし、日本の政権の歴史認識は問題だ、特に安倍政権の歴史歪曲には大きな問題があると捉えている若者はそれなりに多いと思います。これは「反日」というより、やはり人権とか歴史的な被害とか、そういった観点から問題意識を抱いている感じが強くなっているのではないでしょうか。

一方、私たちの世代はだいぶ違います。強烈な反共教育の洗礼を受け、私たちの世代の多くにとって日本がどういう国かといえば、圧倒的に豊かで優れた先進国。日韓の経済格差もものすごくありましたから、ある意味での劣等感というか、強烈なライバル意識のようなものがありました。

青木　しかし韓国は大きく経済成長し、いまや1人当たりの名目GDPは韓国が日本を上回ったとも指摘されています。

金　だからいまの若者は日本に対する偏見とか劣等感はほとんどない。日本が好きだし、アニメや漫画は大好きだし、最も気軽に楽しめる旅行先として日本を楽しむ。ただ、日本の政権の態度に反発を覚えれば、日本じゃなくて東南アジアの別の国に遊びに行けばいいよ、というような感覚。

それを象徴するシーンが少し前にありました。安倍政権が半導体材料の輸出規制に踏み切った際、これに反対する韓国の市民団体がつくった運動ですが、一昔前なら「日本糾弾《きゅうだん》」とか「反日」といった名称を冠したかもしれません。ところがそうではなく、「安倍糾弾市民行動」だったんです。

同じ時期、ソウル中心部の区役所が「NO JAPAN」という垂れ幕を掲げたら、これに抗議が殺到して、「NO JAPAN」じゃない、「NO ABE」なんだと、日本にもいい人たちはいるんだと、そういう声があちこちから上がりました。

青木　そううかがうと、民主化と経済成長を果たした韓国と日本の関係は、ある意味でフラットというか、政治的にも経済的にも水平的な関係になってきた。特にそうした時代に生まれ育った韓国の若年層は、日本に対してコンプレックスも偏見もない。逆に日本の若年層もポップカルチャーなどで韓国に親しみを持っている。

金　ええ。ですから観光でもなんでもいいから、日韓の人びとが互いの国を訪れ、さらに深く交流して互いの理解を深めることが、さまざまな問題を乗り越える一番の近道なのではないかと私は思います。

逆にいえば、いまのように両国の政権が無理やり問題を封印しようとしていること自体、未来を生きる人たちの道を閉ざしているのではないかと私は思うんです。

謝罪はどうあるべきか

金　安倍元首相もそうでしたが、尹大統領も「過去の問題にとらわれたらダメだ」「未来志向で行くんだ」と盛んに訴えますよね。でも、国家の論理を優先させた勝手な政治決着で問題の根っこを塞《ふさ》ごうとすること自体、未来世代の進む道を塞ぐものではないでしょうか。

青木　では、根っこの部分を含めた本質的な解決を目指すなら、元徴用工問題についてはどのような方法があるとお考えですか。

金　２０１８年に大法院判決が出た後、私たちも当初は話し合いでの解決を求めました。たとえば賠償を命じられた日本製鉄の場合、日本に強制動員されて働かされた人が８０００人から１万人ぐらいいると推定されています。ところが原告は４人しかいない。

でも日本製鉄は知っているはずなんです。名簿を持っていますからね。三菱重工業も同様です。だからドイツが戦後行ったのと同じく、まずは強制動員に関わった企業が全容を示し、お金を出して謝罪すればいい。同時に国として動員政策を採った日本政府も謝罪する。

一方、韓国政府は１９６５年に日本と結んだ諸協定で被害者の人権を無視したわけですから、こちらもその責任を取り、日本からの経済協力資金で利益を得た韓国の受継企業もお金を出し、そうした基金をつくって被害者に賠償をすればいい。

実はこの枠組み、２０００年の１月段階から日本の弁護団と韓国の弁護団、そして日韓の市民団体が共同で示した案で、「2プラス2」の解決策と呼ばれています。日本企業と韓国企業、そして日本政府と韓国政府がそれぞれの責任を取り、謝罪して基金方式で解決すればいいと、私たちはずっとそう訴えてきました。これならば被害者の多くも納得し、謝罪を受け入れるでしょう。

そういえば、青木さんが韓国にいらっしゃったという今年2月、ベトナム戦争をめぐるソウル中央地裁の判決が出されましたよね。

青木 ええ、ベトナム戦争に参戦した韓国軍が現地で起こした民間人虐殺をめぐる裁判ですね。被害者遺族のベトナム人女性が韓国政府を相手に国家賠償を求めて訴訟を起こし、2月にはソウル中央地裁が韓国政府に賠償を命ずる判決を下しました。この裁判の詳細は日本であまり知られていませんが、実はベトナム人女性の弁護人を務めている弁護士が、元徴用工の裁判でも弁護人を務めているんですよね。

金 はい、林宰成《イム・ジェソン》弁護士です。非常に優秀で、私たちも一緒に活動を続けています。

青木 林弁護士には僕も訪韓時にインタビューしました。そう考えれば、今日のお話にもあったとおり、元徴用工問題は「反日」運動というより、国家や軍といったものに踏みにじられた被害者たちの人権回復、被害回復を求める動きだという一面がよくわかります。

金 そして韓国で今日(2023年3月31日)何が起きたかといえば、これも日本ではあまり報じられていないかもしれませんが、全斗煥《チョン・ドゥファン》元大統領の孫が光州《クァンジュ》を訪ね、かつて祖父が起こした虐殺事件の被害者に謝罪したんです。

青木　韓国南部の都市・光州で1980年に起きた、いわゆる光州事件ですか。当時、軍事クーデターによって政権を掌握した全斗煥が、民主化を求めてデモなどに立ち上がった民衆や学生を武力で鎮圧し、夥しい数の死傷者が出た韓国現代史の悲劇です。

金　その全斗煥の孫が今日光州を訪ね、被害者や遺族に謝罪し、犠牲者の墓地を直接参拝した。そういったことを見ていると、これは別に日本が韓国にどう謝罪するかという問題だけでなく、どのような国であれ、政権であれ、過去の清算や謝罪というのはどうあるべきかということを考えさせられるんです。

日米韓の軍事協力

金　そういえば文在寅前大統領は在任中、一度しか日本を訪ねていませんが、その日本滞在中、在日同胞たちと晩餐会を開いたことがありました。その際に最も印象的だったのは、上席に座った人の中に在日の元政治犯がいたんですね。李哲《イ・チョル》さんといって、軍事独裁政権期の韓国留学中に情報機関に逮捕され、ひどい拷問を受けて13年間も獄中生活を送り、果ては死刑判決まで受けていた元政治犯です。

晩餐会の際、その李哲さんに文大統領が深々と謝罪したんです。李哲さんは民主化後に釈放されて日本に戻り、2015年には再審裁判で無罪判決を受け、国家からの賠償もすでに受けています。でも残されているものがあるんだと訴え、それが何かといえば、やはり大統領の真摯な謝罪だと。だから文大統領は謝罪し、彼もそれを受け入れた。

青木　そうやってお話を聞いていると、日本による植民地支配と解放、そして朝鮮戦争、南北の分断、さらには軍事独裁を経て民主化を成し遂げた激動の韓国近現代史には、それほど夥しい数の不幸や傷が横たわっていて、いまも疼《うず》いていることを痛感させられます。

金　ええ。だからこそその韓国近現代史を考えると、決して日本との関係だけではなく、韓国の国内においても謝罪というものが重要な課題になることが多い。全斗煥氏の孫にしたって、彼は光州事件と直接関係はないし、責任だってありません。それでも彼は光州に行った。なぜかといえば、自分や家族は全斗煥氏が残した財産で生活しているんだと、彼はそれが罪だと思うと語り、きちんと謝罪しなければならないとも言った。

先ほどのベトナム戦争の件もそうです。韓国軍は現地で虐殺事件などを起こし、私たちは韓国人として、韓国で投票権を持つ有権者として、過去のこととはいえ、国家が行ったことについては真摯に真実を追及し、謝罪すべき点があれば謝罪する責任を市民として背負わなければいけない。

青木　その意味で真の謝罪とは何か、過去に取り返しのつかない罪を犯し、痛みを与えた人びとを少しでも癒すにはどのような謝罪が必要か、私たちはそれを考え続けていかなければならないと。

金　そうです。そのことを私はあらためて強調したいんです。

青木　最後にもうひとつうかがっておきたいのは、先ほどから出ている日米韓の軍事協力の問題です。日韓関係の改善に向けた尹政権の意欲も、その背後にはやはり米国の意向があり、その本質は日米韓の軍事協力や安全保障的な発想であり、これは日本にとっても韓国にとっても決して好ましい方向に向かうものではない、と金英丸さんはおっしゃいました。

金　重要な問題です。私は先日沖縄に行った際、米軍基地や平和問題に取り組む日本の弁護士の方々と交流したのですが、韓国で実施される過去最大規模の米韓軍事演習に参加する米海兵隊の部隊が、まさに沖縄から船で韓国に向かっていったというんですね。

また、これは青木さんの方がお詳しいでしょうが、日本の陸上自衛隊はこの3月、石垣島に初となる拠点を開設しました。このほか沖縄本島を中心に宮古島や与那国島、奄美大島といった南西諸島に次々と自衛隊のミサイル部隊が置かれ、いうまでもなくこれは最近の日本の敵基地攻撃能力の保有や防衛費倍増の動きと関連したものです。

平和憲法も危うい状況

金　一方で韓国の尹政権は発足以来、中国や北朝鮮、あるいはロシアの脅威と対峙するため日米韓の結束が必要だと強調しています。これは明らかに冷戦的な発想です。しかも日本の敵基地攻撃能力の保有や防衛費倍増、それに伴う安保3文書の改定などについても、北朝鮮のミサイルが何発も飛んでいるのだから軍事費を増やすのは当然だ、特に問題はない、という程度の認識しか示しません。

とすれば、今後の世界で米国と中国が激しい覇権争いを繰り広げる中、台湾有事なども見据えて日米韓の軍事協力、軍事的一体化が進むことでいったい何が起きてくるか。米国と日本、韓国の三角軍事同盟は決して対等な関係でなく、米国の下に日本と韓国が組み込まれる構図であり、米国と中国の覇権争いによって東アジア全体が戦争に巻き込まれる可能性が高くなることを意味します。場合によっては、われわれの意思と関係なく日本と韓国の市民が戦争に巻き込まれかねません。

特に今年は朝鮮戦争の休戦協定締結からちょうど70年の節目です。だから私たちは休戦協定を平和協定に変えようという運動にも取り組んでいますが、東アジア地域に暮らすわれわれが進むべき道は、対決によって軍事的緊張を高めるのではなく、対話を通じて地域に安定を根づかせる平和プロセスです。

でないと、日本の人びとも米国の戦争に巻き込まれる恐れを真剣に考えるべきです。

青木　実際に韓国はベトナム戦争などに参戦させられたわけですからね。

金　ええ。日本はこれまで平和憲法があったから巻き込まれずにきましたが、安倍政権が集団的自衛権の行使容認に舵を切り、岸田政権は敵基地攻撃能力の保有や防衛費1・5倍増に踏み切り、もはや平和憲法も危うい状況です。

そういう状況下、日本と韓国は何を目指し、どういう地域環境を築くのか。決して危機を煽るのではなく、緊張を高めるのではなく、両国の市民社会がまさに協力していかなければならない局面です。

編集部　私からも最後にひとつお聞かせください。現代韓国の若年層の北朝鮮観というか、一般的な若者たちが北朝鮮をどう捉えているのか、まさに今日もお話のあった分断の克服、南北の統一というのをどれほど現実感を持って考えているのか、祖国統一をどれほど願っているのでしょうか。あるいは当面は現状維持でいいと考える人たちが多いのか、そのあたりを教えていただけますか。

金　はい。先ほどもお話ししたように、私たちの世代は、つまり40代や50代までは強烈な反共教育を受け、国民学校時代には「反共弁論大会」なんていう行事までありました。実は私、それで賞をもらったこともあるんですよ（笑）。

青木　そうなんですか（笑）。

差別構造をどう克服するか

金　それでも2000年に当時の金大中大統領が南北首脳会談を成し遂げ、その後にもさまざまな南北交流があり、私も北朝鮮の平壌《ピョンヤン》を訪ねる機会がありました。そうした経験を経て、私たちの世代も北朝鮮に対する偏見や見方を変化させてきた面はあるんです。

でも現在の若者は反共教育も愛国教育も受けておらず、当面は別に統一する必要などないんじゃないか、と考えている人が多いかもしれません。なぜかといえば、経済成長を果たしたといっても韓国社会は競争や格差が激しく、自分たちの生活は苦しい。経済的にも苦しい中、統一のためにかかるであろう莫大な費用を負担するのは勘弁してくれと、現実的にはそう考えている人が多いでしょう。

だから私は、別に国がひとつにならなくても、もっと自由に交流できれば経済的なメリットもあるし、場合によってはソウルから電車に乗ってヨーロッパまで行けるようになるよと、そんなふうにいうことが多いんですけれどね。

もちろん、分断を乗り越えて統一しよう、そうしたいという意識を持っている若者もいます。ただ、一般の若者は「同じ民族だから」とか「必ず統一したい」という意識は薄いかもしれません。それより私がいま心配しているのは、将来そういった交流が進んだとき、北の人たちがものすごく差別されてしまうのではないかという点です。

いまも韓国には北から逃れてきた脱北者の人びとが多くいますし、中国東北部の朝鮮族が韓国にたくさんやってきています。

青木　言葉も通じるし、仕事を求めて韓国にやってくる人もたくさんいるようですね。

金　そうです。そういう人たちがたくさんいる。そして彼ら、彼女らが明らかに差別されている。ある意味で〝二等国民〟、〝三等国民〟扱いされていて、そういった差別構造や差別意識をどう克服し、改善するかがむしろ現在の喫緊の課題ではないかと私は考えています。

青木　それもまた、分断から75年もの時を経た韓国の悲劇、朝鮮半島で暮らす人びとの現実でもあるわけですね。

（2023年3月31日）

金英丸　キム・ヨンファン

1972年、韓国忠清北道忠州市生まれ。97年、北海道朱鞠内で開かれた強制連行・強制労働犠牲者遺骨発掘に始まった日韓共同ワークショップ（現在「東アジア共同ワークショップ」）に参加。2002年〜06年に高知県「平和資料館・草の家」で日本の平和運動を学びながら活動。14年より、民族問題研究所で、過去清算、日韓市民連帯およびアジアの人びとが国家と民族の壁を越え平和を実現するために連帯することを目指して活動している。

謝辞

前書きでも記したように、本書はスタジオジブリ出版部が発行する月刊の小冊子『熱風』で続けているインタビュー連載をまとめた一冊であり、原稿の取りまとめなどはすべて私が責任を持って引き受けている。

それがこうしてまた一冊の本に編まれ、新たな形で多くの読者に届けられるのは、インタビュアーであり著者でもある者としては、これほど幸せなことはない。

と同時にインタビュー集であり、対談集の趣もある本書は、当たり前の話ではあるけれど、実に多くの方々の協力と尽力によって一冊の本にまとめあげられている。

まずはなんといっても、私のインタビューに応じてくれた9人のみなさんに、そしてそれを支えてくれたスタジオジブリの鈴木敏夫さん、出版部の額田久徳さん、森田由利さんに、またこうして新たな一冊に編みあげてくれた河出書房新社の岩本太一さん、協力してくれた向井徹さんに、心からのお礼を申しあげなければならない。

もちろん、本書を手に取って開いてくれた読者のみなさんにも最大限の感謝を。

2024年1月　能登半島での被災地取材の帰途、石川県金沢市内のホテルで。

青木 理

本書はスタジオジブリ刊行の月刊誌『熱風』で2015年7月から連載されている対談連載「日本人と戦後70年」より9編を選んだものです。はじめに、おわりに、及び各章扉裏は書き下ろしです。

青木理 あおき・おさむ

一九六六年生まれ。共同通信記者を経て、フリーのジャーナリスト、ノンフィクション作家。著書に、『日本の公安警察』、『北朝鮮に潜入せよ』（ともに講談社現代新書）、『絞首刑』（講談社文庫）、『誘蛾灯――二つの連続不審死事件』（講談社+α文庫）、『増補版 国策捜査――暴走する特捜検察と餌食にされた人たち』（角川文庫）、『抵抗の拠点から――朝日新聞「慰安婦報道」の核心』（講談社）、『日本会議の正体』（平凡社新書）、『安倍三代』（朝日文庫）、『情報隠蔽国家』（河出文庫）、『暗黒のスキャンダル国家』、『時代の抵抗者たち』、『時代の異端者たち』、『カルト権力――公安、軍事、宗教侵蝕の果てに』（いずれも河出書房新社）、『破壊者たちへ』（毎日新聞出版）ほか。

時代の反逆者たち

二〇二四年二月一八日 初版印刷
二〇二四年二月二八日 初版発行

著者 青木理
ブックデザイン 鈴木成一デザイン室
発行者 小野寺優
発行所 株式会社河出書房新社
〒一五一-〇〇五一 東京都渋谷区千駄ヶ谷二-三二-二
電話〇三-三四〇四-一二〇一［営業］
〇三-三四〇四-八六一一［編集］
https://www.kawade.co.jp/
組版 株式会社ステラ
印刷・製本 株式会社暁印刷
Printed in Japan ISBN978-4-309-23148-8